Para que no olvides
una de las cosas
más importantes
de la lengua
castellana
(y a nosotros tampoco)

Tú

Que tengas siempre
ganas de volver.

Lola

Angel Palomino

Insultos, cortes e impertinencias

Cómo hacerlo

Colección

EL PAPAGAYO

ANGEL PALOMINO

INSULTOS, CORTES E IMPERTINENCIAS
Cómo hacerlo

EL PAPAGAYO

EDICIONES TEMAS DE HOY

Primera edición: Junio de 1988
Segunda edición: Julio de 1988
Tercera edición: Julio de 1988

Colección EL PAPAGAYO
© Angel Palomino
© Ilustración de cubierta: Antonio Mingote
© Ilustraciones de interiores: José Luis Salas
EDICIONES TEMAS DE HOY, S. A. (T. H.)
Paseo de la Castellana, 93, 28046 Madrid
Depósito legal: M. 19.484-1988
ISBN: 84-86675-42-1
Compuesto en Fernández Ciudad, S. L.
Impreso en Grefol, S. A.
Printed in Spain - Impreso en España

INDICE

CAPITULO 1

Insultar es sano

> Hay personas para quienes el insulto es una voluptuosidad; es, sin duda, una voluptuosidad oriental.
>
> PÍO BAROJA

Un hombre conducido ante el juez por *mentarle la madre al guardia que suscribe,* según constaba en la denuncia, admitió sin excusas su culpabilidad.

—Sí, señoría, le menté a su madre.

—¿Por qué?

—Porque me lo pedía el cuerpo.

El cuerpo nos pide satisfacciones que, a veces, atentan contra la libertad, el sosiego y aun el honor de otros ciudadanos; satisfacciones que incluso pueden resultar perjudiciales para el mismo que se las procura. El cuerpo nos pide comer callos picantes, abrigarnos más o menos de lo conveniente, meternos en una piscina con el agua mal depurada, darle un azotillo en el culete a Mari Pili que está muy rica, pero odia nuestros azotillos, fumarnos un habano, beber un coñac o mentarle la madre a:

Un automovilista.

Un guardia.

Un defensa lateral.

Un vecino.

Un jockey.

Un político.

....

....

O cualquiera que esté a mano, que no nos ha molestado ni ofendido, pero está ahí en el momento preciso, en ese momento en que el cuerpo nos pide la «voluptuosa y oriental» satisfacción del insulto.

En la medida en que esta necesidad psíquica o psicosomática es satisfecha por la emisión del insulto y por lo que en el acto hay de voluptuoso, insultar es sano; tanto más cuanto mayor sea la necesidad que lo solicita.

El corte y la impertinencia son acciones correctivas, de castigo, por medio de la palabra. Se emplean para liquidar una situación molesta o para quitar las ganas de conversación a alguien que nos cae gordo, que se las da de listo, que, poco precavido, intenta hacernos víctimas de su escasa habilidad para la ironía, o que, sobrado de arrogancia, pretende intimidarnos con aires de superioridad.

Insultos, cortes e impertinencias son recursos dialécticos, *llaves*, *cachetes* y *coscorrones* para las no siempre cordiales relaciones humanas; recursos de karate o judo oral para la más ingeniosa de las artes marciales: la invectiva, la ironía.

CAPITULO 2

El insulto como una de las Bellas Artes

A primera vista parece que el insulto ha de ser, necesariamente, una grosería: a) injuriar a la madre, b) poner en duda la fidelidad de la esposa, o c) negar la virilidad del prójimo, son las tres formas clásicas —*naturales en nuestra cultura,* podría decirse ahora que se llama cultura a la incultura— expresadas en tres palabras rotundas y malsonantes: *hijoputa, cabrón* y *maricón.*

No pido al lector que las borre de su memoria, pero sí de su equipaje lingüístico. Habrá quien diga que pertenecen al más puro idioma castellano, se llenarán con ellas la boca, las caligrafiarán con deleite, citarán a Cervantes, Valle-Inclán y Cela. De acuerdo, esas tres palabras son castellanas como los chorros de oro, sonoras como un cencerro y castizas como un refajo, pero utilizarlas como insulto es recurso de gente grosera, chapucera y pobre de imaginación.

El insulto así, a lo bestia, apenas se justifica —sólo en muy contadas circunstancias extremas— por su acción terapéutica explicada en el capítulo I: al cuerpo, en determinados momentos, sólo le produce satisfacción el denuesto, la agresión verbal. Pero cuando el insulto tiene carácter correctivo y hasta didáctico, cuando se hace desde la reflexión y la serenidad —ello es posible y conveniente— debe ser cuidadosamente creado, elaborado con buen gusto, imaginación, originalidad y, sobre todo, humor. En lugar de acudir al uso vulgar, trillado, patatero, de esas tres palabrotas, hay que realizar un esfuerzo intelectual, un ejercicio de creación literaria, insultar con elegancia e ingenio. Por ejemplo:

a) *Salude a su padre cuando dé con él.*

b) *Antes de abrir el armario en casa, pregunte si todavía hay alguien dentro.*

c) *Me temo que es usted un machista desganado.*

Podría haberme exprimido la sesera en busca de frases más ingeniosas, sustitutivas de las tres palabrotas. Prefiero valerme de estos sencillos ejemplos con el fin de animar al lector probándole que no existe dificultad alguna en la creación de insultos civilizados e imaginativos: artísticos.

Estos tres insultos tan habituales en las relaciones —en las malas relaciones— de los españoles de todos los tiempos se utilizan para agredir de palabra a ciudadanos que no son hijos de prostituta ni cornudos ni homosexuales. Se intenta con ellos irritar al prójimo, provocar ira más que sonrojo.

Claro está que la ira se activa igualmente cuando el insulto coincide con la personalidad real del insultado. Los hijos de mujeres dedicadas al comercio venéreo suelen estar unidos a sus madres por lazos afectivos casi irracionales, desaforados, fanáticos, y, de ordinario, responden con violencia cuando alguien les afrenta con esa palabrota que tan exacta y justamente les cuadra.

Entre gente vil o simplemente soez y deslenguada es normal tratarse con los más ofensivos improperios sin propósito de ultraje por parte del agresor ni sentimiento de agravio en el ánimo del ofendido. Incluso se hace uso admirativo y cariñoso de las tres palabrotas básicas:

a) *Hijo de la gran puta, qué gracia tienes.*
b) *Cabrón, cómo te camelaste a la tía.*
c) *Mariconazo, qué gol les has metido.*

Y no ocurre nada: el insultado-lisonjeado sonríe modosamente, como quien aparenta no creerse digno de tanta alabanza.

Pero si por casualidad, por desdicha fortuita, no buscada ni esperada, el aludido es un auténtico hijo de pelandusca, responderá con violencia, y si el ofensor no se disculpa al instante o insiste en el agravio se verá muy probablemente amenazado con navaja o pistola por un hombre nuevo, el ex-amigo, un adversario frenético que grita:

¡Ha faltado a mi madre! ¡Lo mato!

Lo mismo sucede con los insultos b) y c), que ni como alabanza, ni siquiera como broma, son admitidos pacíficamente y en silencio por cornudos o afeminados en cada caso. El cornudo reacciona con mucha braveza e impaciencia ante cualquiera que le nombre la cuerna. Y aún hay más: existe un tipo de cornudo, el cornudo total, profesional, tan vil que vive de los propios cuernos explotando a su mujer; ése no soporta que le llamen chulo, que es su oficio: rufián, chulo, macarra, cabrón.

Soy testigo; aquel fulano era un tipo simpático y me defendió indirectamente, defendió mi derecho con el suyo. Estábamos en la cola esperando taxi en la estación, y el fulano amenizaba la espera con comentarios municipales, pullas al alcalde y bromas al guardia urbano; eso resulta bien siempre, me hizo gracia, le ofrecí un pitillo, charlamos, reímos, y en eso estábamos cuando unos tipos se aproximaron por otro lado con propósito de adueñarse de los taxis antes de que llegasen a la cola. Aquel individuo los llamó al orden con muy buenas maneras y les indicó que debían esperar turno como todo el mundo. Ellos lo tomaron a pitorreo, y lo calificaron de guindilla honorario, muermo de tío, no seas paliza, cosas así; ante esta actitud, el fulano se irguió, pareció crecer, en sus ojos brilló una lucecita fría, movió su mano derecha lentamente hacia un bolsillo del pantalón y la mantuvo suspendida en el aire, rígida, como la de un *cowboy* antes de desenfundar el revólver. No hubo más, sólo ese cambio en su actitud, y los listillos cerraron el pico, bajaron la mirada, buscaron el final de la cola y preguntaron mansamente: *¿quién da la vez?*

—Ha sido asombroso —le dije—; cuando han visto que usted se ponía chulo...

Me agarró un brazo con mano crispada; en sus ojos se encendió otra vez la lucecita.

—Escuche usted —dijo con voz de navaja cabritera—; yo no he faltado a mi padre más que una vez en mi vida: un día que me llamó chulo. Le dije: *¡A mí no me vuelvas a llamar chulo, no se lo aguanto a nadie!* Y no se lo aguanto a nadie —repitió—: ¡ni a mi padre!

Pocos días más tarde vi su foto en la prensa; había caído en una redada de macarras. Explotaba mujeres; entre ellas, la suya.

Los homosexuales también se sienten agraviados si se les recuerda su inclinación con el grosero insulto habitual: consideran que no hay otro más ofensivo y es el que usan entre ellos cuando de verdad desean ofender, humillar, escarnecer a otro apasionado de su misma cuerda.

—Montijo es un maricón —dice uno que va soltando plumas por la vida.

O bien, con más énfasis:

—La Montija es una maricona —que acentúa la agresión sin cambiar la esencia; es lo mismo, pero redundando en la redundancia.

Sin embargo, este uso endoagresivo del insulto c) no adquiere los tonos violentos que anotamos en las reacciones de hijos de pelandusca y de cornudos ante los a) y b). Tanto en momentos de alegría y jolgorio como en las rachas de mal humor, desesperanza o depresión, los homosexuales suelen aplicárselo a sí mismos como una autovacuna o como un acto más de proclamación descarada de su personalidad, un desafío jaranero, provocativo, burlón y algo masoquista.

—Ni travestis ni transexuales ni mujeres —dice uno de pronto en la tertulia—, maricones, eso es lo que somos, unos mariconazos.

Y mientras unos callan ofendidos a otros les da la risa.

Estas conductas pueden observarse frecuentemente entre los homosexuales exhibicionistas puros —los que no sólo no disimulan, sino que, soltando plumas a todo meter, acentúan descaradamente gestos y modales— y entre los bardajas entregados a la prostitución. No se comporta lo mismo el homosexual discreto y respetable que, como casi todo el mundo, hace reserva de su intimidad y nunca alardea de aventuras, experiencias, éxitos o fracasos amorosos. Prudente conducta merecedora de respeto.

Tras estas breves reflexiones en torno a tres palabras castizas y populares como porras fritas mañaneras, ásperas como camiseta de esparto y de uso tan extendido, insisto en recomendar su desuso. Aunque ello nos obligue a bucear en el idioma hasta conseguir los equivalentes precisos para que la fiesta no decaiga y los mecanismos de alivio y descarga emocional funcionen siempre que sea necesario.

¿Cuándo es necesario?

Está clarísimo:

Cuando nos lo pida el cuerpo.

CAPITULO 3

Cómo insultar más

> Diputado Rex.—*Su Señoría es un embustero y un gilipollas, señor Oms.*
>
> Presidente.—*Prohíbo a Su Señoría ese lenguaje. Los taquígrafos deben borrar la palabra «embustero».*

Gran escándalo en el Parlamento. Esta escena que no es del todo irreal ni del todo inventada la propongo como ejemplo de ese elevado arte que consiste en insultar cruelmente, ponzoñosamente, sin agresividad ni grosería.

El diputado insultante ha contravenido los usos de la cortesía parlamentaria.

El presidente ha estado en su puesto de dignísimo y respetable moderador.

¿Quién ha insultado más?

A primera vista parece que sólo un diputado desenguado, montaraz y virulento ha calificado a otro de *embustero* y *gilipollas*.

El presidente, muy sereno, le ha prohibido utilizar *ese lenguaje,* y, maniobrando con brillante habilidad táctica, deja tirado como *gilipollas* al ofendido.

El valor o la gravedad de los insultos del diputado Rex quedan notablemente disminuidos por su procacidad impresentable en aquel lugar y ante aquellas personas; porque se supone que son consecuencia de acaloramiento exacerbado por el fervor partidista, la fobia ideológica y también la justificadísima ira provocada por los embustes y las melonadas de diputado Oms, que es realmente embustero por encima de los niveles habituales en el oficio, y tiene fama de memo. Lo inadecuado del lenguaje del diputado

Rex en lugar tan respetable disminuye la eficacia vejatoria de los insultos e incluso los vuelve en su contra.

La decisión del presidente de suprimir sólo uno de los insultos confiere al otro un incremento de calidad. El diputado Oms sigue de *gilipollas;* así lo deja la máxima jerarquía de la institución, sin atenuantes de acaloramiento, fobia o trastorno mental transitorio.

El suceso, tal como yo lo imagino, produce un estallido de carcajadas entre los parlamentarios del partido del señor Rex (mayoría parlamentaria), un clamor de ira entre los compañeros del señor Oms (oposición minoritaria) y una larga serie de campanillazos del presidente.

Varios diputados de la minoría manifiestan su protesta airadamente y exigen una retractación completa. El diputado Rex, pálido y un tanto temblón, se agazapa en su escaño como si el incidente no fuese con él; el diputado Oms, lo mismo; permanece, pálido, abatido y silencioso, quieto en su escaño.

Más tarde justifica así su actitud:

—He preferido callar; era peor meneallo. Si exigía que se borrasen los dos insultos, el diálogo más probable sería una cosa mala; me lo estoy imaginando:

Oms.—*Señor presidente, exijo que se borren los insultos que ha proferido el diputado Rex.* (Carcajadas y pateo.)

Presidente.—*Ya lo he ordenado.* (Carcajadas.)

Oms.—*Sólo ha ordenado que se borre la palabra «embustero».* (Carcajadas.)

Presidente.—*Exacto, ¿no se considera desagraviado su señoría?* (Carcajadas.)

Oms.—*No, señor presidente. Han sido dos los insultos.* (Carcajadas.)

Presidente.—*Hasta mis oídos sólo ha llegado el que ordené borrar. ¿Cuál ha sido el otro?* (Carcajadas.)

Oms.—*Me niego a repetirlo.* (Abucheo de la mayoría y pateo de la oposición.)

Presidente.—*Señor secretario, pida la transcripción de la frase completa, antes y después de la corrección, y proceda a su lectura.*

Secretario.—*Primera lectura: el señor Rex dijo:* «*Es usted un embustero y un gilipollas, señor Oms.*» *Segunda lectura:* «*Es usted un gilipollas, señor Oms.*»

—O sea, que hiciese lo que hiciese, aquello para mí sólo podía tener un resultado.

—¿Qué resultado?

—Quedar como un gilipollas.

CAPITULO 4

La rutina
y el prejuicio

—*¡Cegata!*
—*¡Borracho!*
—*Sí, pero a mí se me pasa la trompa esta noche.*

E l borracho ha insultado mal; ser cegata es una pequeña desgracia, no merece reproche. La miope tampoco ha estado muy ocurrente. Finalmente, el borracho, quizá inspirado por el alcohol, remacha su agresión con una respuesta ingeniosa y cruel. Así deben ser los insultos; el borracho empezó fatal, pero terminó con gran brillantez.

Insultar a un ciudadano cualquiera por su condición, raza, oficio, sexo, padecimientos, defectos físicos, es, además de rutinario e injusto, indicio de falta de imaginación. Un claro ejemplo de esta actitud es el que tan insistentemente nos ha servido el cine americano: un ciudadano de los Estados Unidos de América pisa a otro ciudadano de los Estados

Unidos de América; el pisado se vuelve y le dice simplemente:

—¡Negro!

Le reprocha el color de la piel y parece olvidar las causas del pisotón: la torpeza, las prisas, la mala educación. Doble error.

Primero porque ser negro no es falta, agresión o transgresión; ni siquiera es conducta. No existe evidencia científica ni histórica de que los niños negros

buenos y bien educados que observen una conducta intachable vayan, poco a poco, tornándose blancos. Tampoco lo contrario: que los bandidos, los asesinos o los gamberros blancos se vuelvan negros.

Segundo, porque el pisotón de ese negro, intencionado o casual, es una agresión producto de su torpeza, de su descuido, de su ordinariez o de su agresividad. Lo correcto sería responderle con el denuesto adecuado: *basto, haragán, patoso o bárbaro,* según las presumibles causas del incidente. Sólo se insulta llamando *cegato* a un señor cuando su profesión o quehacer (árbitro de fútbol, conductor, corrector de imprenta, etc.) exige tener muy a punto el sentido de la vista; y si a alguien se le castiga con el calificativo (no sustantivo) de *baldado,* no será a un inválido, sino a un atleta, un cazador, un repartidor de telégrafos, un militar preferentemente de infantería... Aplicar tales denuestos a miopes o paralíticos sería torpe e injusto.

Injustamente obra quien, molesto porque un coche le asustó pasándole muy cerca, se desahoga gritando: *¡Camionero!* Otros llaman *narizotas* a un narigudo que le vendió claveles pochos o churros correosos, *jorobado* a un chepa que se coló en la fila del tranvía, *tonto* a un tonto, *largo* a un patazas, *chino* a un asiático, por hechos totalmente ajenos a la nariz, la joroba, la tonticie, la estatura o la raza de los reprendidos. El cojo estaba en la calle de Goya apoyado en la pared y en sus muletas. Pasó a su lado una chica que nada tenía de particular salvo el voluminoso busto, que, además, llevaba ceñido y saltarín. El lisiado la vio llegar de lejos y preparó un desahogo a lo bestia. Lo que soltó por la boca al pasar la muchacha era una proposición, además de deshonesta, exagerada: seis meses de orgasmo continuo ofrecidos con otras palabras; una cópula de medio año; ésa era la propuesta. La chica apresuró el paso y replicó airada: *¡Jodido cojo!*

De cualquiera que cojee se puede decir eso mismo; todo cojo está *jodido* con su cojera. Aquella chica dejó constancia de algo tan evidente como la chepa de un jorobado, el tinte moreno de un negro, la profesión del conductor de un camión o las gafas de un gafoso. Cuando alguien utiliza tales expresiones como sanción, como reprimenda, es porque tiene prejuicios; en lo íntimo, quizá inconscientemente, cree que hay un componente malvado en la personalidad de los disminuidos físicos, de los cheposos, de los negros; piensa que un cojo, por el hecho de estar fastidiado, disfruta jorobando al prójimo.

Un líder de la izquierda sindical grita al presidente de uno de los siete grandes bancos: *¡Capitalista!*

Y el banquero responde: *¡Marxista!*

Se han lucido los dos. Su desahogo es rutinario; un grito estéril, un esfuerzo desaprovechado, un gesto tan inútil como enfrentarse a un político y gritarle: *¡Embustero!*

Menudo descubrimiento.

CAPITULO 5

Más, menos, cómo

E l insulto *por comparación* es muy eficaz. Los hay clásicos, que se repiten en España desde hace siglos; aparecen en textos de Quevedo, Cervantes, Calderón y Lope, y pasaron al consumo público. Otros nacieron y aparecieron por generación espontánea en el repertorio popular: *Es más largo que un día sin pan, Ve menos que un gato de escayola, Borracho como una cuba.*

El efecto insultante se perfecciona atribuyendo equilibradamente al insultado virtudes, circunstancias o atributos antitéticos: simpatía, talento, gracia, salud, fortaleza, nervios, seso, oratoria, sabiduría, etc., conjugados con irónica impropiedad.

Es usted tan veloz como un caracol con orquitis.
Tan atractivo como un hipopótamo con piorrea.
Tiene más cara que un buey con paperas.
Es más aburrido que una tortuga harta de valium.
Tan ameno como un camello con depresión nerviosa.

Tiene tanto aplomo como un gato con tres avispas en el culo.

Tan amable como una estrella de mar con golondrinos en los cinco sobacos.

Habla tan bien como un herrero que se ha pillado el pito entre el yunque y el martillo.

La fuente es inagotable y de gran rendimiento. Sobre algunas de estas comparaciones pasan los siglos sin limar su aspereza: *sordo como una tapia* aún hace irritarse al supuesto sordo y reír a los circunstantes, y es tan conocida que puede resumirse al límite; si se quiere insultar a alguien (no sordo, naturalmente) reprochándole el haber oído o entendido mal a quien habla, basta decirle: *¡Tapia!*

Este procedimiento, que a primera vista precisa mucha elaboración (la idea del caracol con inflamación del epidídimo no surge en un instante si no es por casualidad, y no digo por inspiración, que sería una ordinariez), es, sin embargo, muy fácil. Para llevarlo a la práctica se puede acudir a la metáfora antipoética modificándola a lo bestia. El modo de hacerlo consiste en utilizar metáforas y comparaciones poéticas parafraseándolas: *Tu boquita es un rubí partido por gala en dos,* se convierte en agresión verbal con suma facilidad: *Tu boquita es un tomate, partido por un hachazo.*

Tus ojos negros como la noche por *Tus ojos negros como el felpudo de un carbonero.*

Tu aliento perfumado de rosas y azahares por *Tu aliento perfumado, como la digestión de un gazpacho* o por ... *como la resaca de un beodo.*

También se puede utilizar el principio de un fragmento poético o folclórico alterándolo al final, como en el popular:

Eres alta y delgada
como tu madre.
Pero tienes bigote
como tu padre.

El lector debe adaptar el método a sus necesidades y al conocimiento que tenga de la literatura española y universal, del refranero y del folclore.

CAPITULO 6

La inevitable contundencia

> —Oiga, cura, la Iglesia lleva en la Tie-
> rra dos mil años y mire qué porquería de
> Humanidad tenemos.
> —Hermano, el agua lleva en la Tierra
> millones de años y mire la mugre que tie-
> ne usted en el pescuezo.

Insulto y réplica es un bonito juego intelectual. Diálogos como éste sirven de ayuda y estímulo a quienes creemos que la agresividad humana puede paliarse mediante el uso inteligente del humor y el insulto bien elegido.

Pero la necesidad terapéutica del denuesto resonante, contundente, airado, aconseja la creación de un vocabulario adecuado que nos procure digno y saludable desahogo sin recurrir a las tres sistemáticas palabras heredadas de nuestros clásicos.

No es necesario molestarse demasiado; con una palabra, una sola, bien elegida, podemos tener insul-

to a mano para toda la vida. Una palabra que resue-
ne, que golpee, que irrite; una palabra sencilla:
    ¡*Merluzo!*

Con esto puede bastar: *merluzo* tiene la contundencia de ese final en *uzo* que suena a humor de ca-
chiporra. Pese a ser la misma terminación de palabra
tan digna y respetable como *buzo,* con la que desig-
namos a profesionales y deportistas merecedores de
consideración y respeto, la música de *uzo* tiene un
son despectivo, ridiculizante. Usada como sufijo ejer-
ce función de aumentativo degenerativo. Si a un individuo se le tacha de *borracho* ya existe intención
despectiva en la expresión; no es lo mismo que decir
alumbrado, bebido, alegre, chispa o cualquiera de las
docenas de palabras usuales. *Borracho* se dice del que
ha perdido la compostura y hace cosas de loco gra-
cioso, patoso, amable, agresivo, discurseante, eufórico
y llorón, todo ello en sucesivas fases de una misma
borrachera. Hasta los años cincuenta y sesenta se re-
prochaba a la sociedad española el que un hombre
embriagado, si era pobre *estaba borracho* y si era un
señorito se había tomado *unas copas de más,* lo que
prueba que existe maltrato y discriminación por razones de clase o condición social: la palabra *borracho* se utiliza con ánimo despectivo. Pues bien, el
sufijo *uzo* acentúa el menoscabo y la convierte en
baldón. *Borrachuzo* es el *trompa* de la faja a rastra
y la baba caída, el que tiene encima *una mierda que
no se lame,* el de la *cogorza* vomitada y faltona, el
curda degradado y sin remedio. Lo mismo sucede
con las variantes femeninas. Palabras honestas, sustantivos inocentes, como *lechuza,* suenan a insulto
—sólo por su terminación en *uza*— cuando se apli-

can a una persona, y esto se agrava si mutamos a es-
coplo los femeninos en masculinos: *lechuzo, alcuzo.*
La gente es *gente,* la chusma, *gentuza,* y el trabajo
mal hecho termina en *uza: chapuza.*

Merluzo es dicterio polivalente y agresivo; ideal
para equilibrar el alma cuando te lo pide el cuerpo.

Cada cual debe, sin embargo, hacer su propia
selección más guiado por el oído que por la semánti-
ca; buscar palabras que pronunciadas con desdén,
burla, ira o desabrimiento suenen a injuria grave,
pellizco, bofetadita, bofetón o patada en el culo.

Es usted un cartapacio.

Cartapacio no es insulto, pero a mí me sentó
como un tiro cuando me lo tiró a la cara una señora

con los ojos echando chispas y la voz silbante de ira
contenida. Tenía motivos para insultarme aún con
mayor severidad; le había echado encima media copa
de helado de chocolate aguachinado. La copa no era
mía, la habían dejado a mis espaldas y yo no tengo
ojos en los codos, pero esas circunstancias atenuantes
no deben influir en el ánimo de quien insulta; su ira
es lo importante. Aquella señora la descargó llamán-

dome *cartapacio*. Lo hizo muy bien, me dejó moralmente desriñonado.

En general, las palabras terminadas en *acio* pueden ser usadas como insulto. Casi todas.

Lo mismo puede decirse de las terminadas en *acho* (basta ver cómo suenan *capacho, gazpacho* y, naturalmente, *mamarracho*, que de suyo se le da); en *ana* (*palangana, cuartana, almorrana*; ésta sobre todo); en *ino* (*cebollino, langostino* y, no lo niego, *palomino*); en *oche* (gran castigo, insulto con resonancias cervantinas, culto y como antiguo, *trochimoche*); en *ojo* (*gorgojo, cerrojo, rastrojo*); en *on,* no pongo ejemplos, cualquier palabra terminada en *on* puede ser arrojada como una piedra; en *orio* (*perentorio, supositorio*); en *oso,* tampoco es menester poner ejemplos, vale todo, hágase la prueba (no con adjetivos, sino con sustantivos como *concejal, perito, médico...*); en *ucho,* lo mismo digo; y en *ucio, uco, udo, undo,* casi tan buenas como la comentada *uzo* con la que empecé (y acabo) esta relación.

Una sugerencia adicional: úsense como insultos palabras esdrújulas. No me refiero a términos como *galápago, náufrago, gaznápiro, sátrapa* o *sonámbulo,* sino a palabras sin carga negativa o insultante, que, dichas con oportunidad y mala uva, pueden herir como navajas: *¡Es usted un muérdago!* Y como ésa, muchas: *flámula, almácigo, fármaco, morganático, bártulo, interrégimo, extrínseco...*

La esdrújula es, por sí sola, contundente; una mina.

Pero todo esto es munición de fogueo, buena para armar ruido y producir algún sobresalto. La gente que importa, la que está al día, la que se sabe pos-

moderna de siempre, es decir, clásica en lo fundamen-
tal, informada en lo actual, independiente en gustos,
modas y modales, enemiga de acalorarse y habituada
a emplear el cerebro una centésima de segundo antes
de abrir el pico para evitarse la fatiga de decir ton-
terías, frases hechas o palabras de vocabulario cheli
sin más ni más, esa gente *sabe* insultar con algo más
que una palabra terminada en *uzo* o en *ucio*. Cons-
truyen el insulto con técnica de ingeniero y gracia
de arquitecto-artista.

Como aquel que dijo a un pelmazo empeñado en
tener razón:

—*A veces estoy de acuerdo con usted; coincidi-
mos. Hasta un reloj roto marca la hora exacta dos
veces al día.*

CAPITULO 7

Un insulto singular: gilipollas

> *¡Vaya que soy gilí! —se decía—. ¡Invento yo al tal don Romualdo, y ahora se me antoja que es persona efetiva y que puede socorrerme!*

> Benito Pérez Galdós (*Misericordia*)

Este dicharacho merece capítulo aparte. Porque es el insulto español por excelencia; no tiene traducción a otras lenguas y es, en la nuestra, *el insulto más insultante,* el más afrentoso.

¿Más afrentoso que los tres grandes insultos del idioma español?

Más. Ninguno le gana en intención despectiva, en eficacia denigrante. *Denigrar es desacreditar, infamar.* Ciertamente, debería considerarse más denigrado el sujeto a quien se califica de *hijoputa, cabrón* o *ma-*

ricón que aquel a quien se atribuye la deplorable, pero inmaculada, condición de *gilipollas.*

Porque éste es un insulto en apariencia débil; podría decirse que *infama poco,* pero los otros no infaman en absoluto.

De un superior —director, mariscal, profesor, subsecretario— se puede decir *es un cabrón,* y queda dicho que es hombre de malas pulgas, exigente, algo negrero, poco amable, pero nadie lo interpreta en sentido literal, ni aun en el caso de que el insultado esté realmente consintiendo el adulterio de su esposa.

Cuando de ese mismo superior se dice *es un hijo de puta,* no hay intención de ofender a su madre; significa algo muy sencillo: es peor que *cabrón.* Además de atravesado, exigente y antipático, es malintencionado, sádico, se complace en mortificar; estar a su servicio es peor que incómodo: un suplicio. Suele decirse del profesor severo que procura el fallo del alumno, examina o pregunta con cara de palo y califica habitualmente con notas bajas sin dar explicaciones, que es un *cabrón;* pero ese otro profesor que se lo pasa divino cuando hace preguntas enrevesadas, corrige con mordacidad, humilla al alumno con comentarios en los que se muestra ingenuamente asombrado, escandalizado, afligido, paternal, esperanzado y acaba calificándolo con un —*le pongo un cero vestido de fraile*— ese señor, adquiere fama de *hijoputa.*

Me valgo de estos ejemplos por su simplicidad y fácil comprensión. Conste, sin embargo, mi respeto sincero al profesorado en general.

Algo parecido puede decirse del tercer insulto clásico, el c), *maricón.* Es la otra parte de la escala No fue tal mi intención al ordenarlos a), b), c), pero

en ello ha influido sin duda esta realidad: la condición del destinatario.

En la relación superior-inferior, el *maricón* no es
invertido; sólo es un pequeño canalla que comete pequeñas arbitrariedades, molesta algo más de lo que
exige el trabajo, sorprende con inesperados desaires,
niega pequeños favores y comete pequeñas, fútiles
injusticias. Es una escala aplicable a la calidad humana; cataloga tres tipos de mala persona. El *cabrón*
es malo, el *hijoputa* es *más* malo y el *maricón* es *menos* malo. Una acción dañina es *cabronada;* una acción maligna es *hijoputada;* un incordio cargante es
mariconada. La *hijoputada* es perversa, la *cabronada*
es perjudicial, la *mariconada* es molesta. Ninguna de
estas tres calificaciones se refiere a conductas rela-

cionadas con la madre o la esposa del sujeto ni con su virilidad.

Me he extendido en estas consideraciones con el propósito de arrojar más luz sobre el objeto de este capítulo: la palabra *gilipollas*.

Se utilizan los insultos a), b) o c) como desahogo, como agresión verbal o como desafío, pero con ellos no se lesiona moralmente al insultado, puesto que significan otra cosa; tampoco se le descalifica social o profesionalmente; el agredido puede ser —y seguirá siéndolo— un magnífico director, mariscal, profesor, subsecretario o lo que sea.

Pero si de uno de estos eminentes personajes se dice que es *gilipollas*... ¿Puede un ministro, un general, un magistrado ser eso que se entiende por *gilipollas*?

Puede serlo. Como puede ser mala persona en grado a), b) o c), lo que no le impedirá ser, al mismo tiempo, brillante y eficaz ministro, general o magistrado. Pero si es *gilipollas* —si merece ese calificativo— de ninguna manera podrá pasar por bueno, brillante y eficaz en su oficio: será, sencillamente, un *gilipollas*.

Esto no significa que individuos sobradamente desacreditados como *gilipollas* —hablo de opinión general y extendida— queden por ello arrinconados; puede haber catedráticos, generales, políticos, magistrados, defensores del pueblo, subsecretarios, arquitectos merecedores de tal calificación; harán buena carrera, pero no serán respetados. Ni aunque alcancen la cima del poder mundial.

Aunque parezca mentira, pueden alcanzarla, y bien reciente está el caso de un Presidente de los Es tados Unidos que se hacía llamar Jimmy: mucho poder, mucha Casa Blanca, pero los gobernantes, los diplomáticos y los políticos de todo el mundo se referían a él como *el gilipollas* (*).

¿Qué es, cómo es, quién se hace merecedor del calificativo *gilipollas*? ¿De dónde viene esta palabrota que tanta difusión ha alcanzado en España y que hoy es usada por toda clase de gentes cultas, incultas, educadas o groseras?

Su primera raíz es la voz *gil,* desde hace siglos usada en castellano como sinónimo de *bobo, necio, memo, cándido,* en el mismo sentido que *panoli, tontaina* o *menguado.* En cierta forma, ya la recoge Covarrubias en su diccionario *Tesoro de la Lengua castellana o española,* 1611.

En muchos países de Hispanoamérica se utiliza igualmente, y el tango argentino contribuyó a su difusión. Son muchas las letras en que aparece; la más conocida es, sin duda, *Cambalache,* del famoso Discépolo, que aún se canta quizá porque fue un grito profético que se mantiene actual y es válido para estos años finiseculares:

> *Siglo XX, cambalache*
> *problemático y febril*
> *el que no llora no mama*
> *y el que no afana es un gil.*

Por otra parte, existía en España el gitanismo *jilí,* al que se atribuyen antecedentes arábigos según unos,

---

(*) Yo no juzgo al señor Carter, menciono un hecho, una opinión generalizada, aunque en otros idiomas se exprese con palabras menos despiadadas y esclarecedoras que esta intraducible obscenidad.

judíos según otros y, puestos a buscar, no sería imposible hallarle supuestas raíces germánicas, célticas o iberas; yo me inclino por el origen castellano; del español *gil* pasó al caló en la voz *jilí*, que es forma natural en esa lengua, como *cañí, gachí, romaní*.

Para Camilo José Cela, indiscutible autoridad en la materia, *gilí* es equivalente al despectivo *gil*, «aunque con matiz más agresivo e hiriente». El mismo autor define el término *gilipollas* como compuesto por las palabras «*gilí* y *polla, pija*» (Diccionario Secreto II).

De esta manera queda aún más acentuada la condición de memo inofensivo, de pobre diablo, de cacaseno, lila, beocio, simplón, del insultado, al relacionar su necedad con sus genitales, como sucede —y lo señala el mismo Cela— cuando de un individuo se dice que es un *tonto de los cojones*; suena peor y no resulta, sin embargo, tan ofensivo. En la palabra *gilipollas* se logra una síntesis de enorme eficacia ridiculizante: no hay otra igual.

Es palabra que —por su difusión y singularidad, por su precisión, vigencia y eficacia—, merecería un atento estudio lingüístico y sociológico. Yo me limito a dedicarle este capítulo sin que ello signifique otra cosa que el reconocimiento de su presencia tan profusa hoy en el lenguaje hablado y escrito, y su condición de insulto corrosivo; el más descalificador y mortificante del idioma español, el que más sonrojo produce al engreído, al encumbrado, al poderoso, al pedante, al ensoberbecido; sonrojo de humillación, que no de ira.

¿A quién aplicarlo? Es muy sencillo; la misma palabra lo dice: a los gilipollas.

CAPITULO 8

El automóvil

No sé si hay estadísticas, pero estoy seguro de que el mayor generador de insultos es, en nuestro tiempo, el automóvil.

La relación del hombre con el automóvil da lugar a muy diversas situaciones; todas, todas, sin excepción, generan insultos, muchos de ellos específicos, propios de cada una, que no sirven o no son adecuados para las otras. No es lo mismo insultar como peatón que como conductor, como taxista que como usuario del taxi, como infractor que como policía, como mecánico de taller que como cliente enfadado o como conductor *en lucha,* en la calle, en la carretera, cuando se siente agredido, estorbado, burlado por otro conductor, que generalmente está convencido de lo contrario: de que él es la víctima.

A veces tengo la impresión de que los automovilistas parecen querer comerse crudos unos a otros, pero no se llega al canibalismo porque van envasados, en conserva, y sería necesario abrir antes la lata.

PEATON

El peatón que se siente amenazado, salpicado o humillado por un automovilista debe tomárselo en serio y pensar bien el insulto; el presunto agresor no se va a enterar, pero los que llegan detrás y los peatones circunstantes sí; ellos serán su público, y ya que se grita es mejor hacerlo con éxito.

Y eso ocurre en la mayor parte de las pugnas verbales con o entre automovilistas: la velocidad manda. Si no fuese por el público, insultar a un automovilista en movimiento sería tirar el insulto, o, como mucho, arrojar un proyectil que sólo puede alcanzar al blanco de refilón si hay suertecilla.

Todos cuantos conducimos tenemos experiencia como automovilistas insultados por peatones; lo adivinamos porque, de reojo, hemos visto su rostro airado, su gesto de amenaza o de protesta, pero nuestros oídos no se enteran. A los míos, que yo recuerde, nunca ha llegado el insulto completo; el automovilista, en el peor de los casos, oye como un eco: ¡... OOONNN!

Por eso el peatón a quien le pide el cuerpo insultar a un automovilista debe elegir, en una centésima de segundo, entre el desahogo fulminante o el insulto elaborado; entre hacer llegar al automovilista el dudoso impacto de un ¡OOONNN!, o amenizar el paseo a otros peatones con la gracia de un improperio bien hecho.

Para conseguir lo primero no es preciso cavilar: se le grita un palabrón que termine en ON, AZO, UCIO o UZO (preferentemente en ON, porque el acento en la última sílaba aumenta la sonoridad)

el mundo sigue andando. Y los peatones también, claro.

Cuando hay deseo de realizar un buen trabajo, se luce uno comparando al automóvil con una carreta, con el camión de la basura o con una lata de conserva, y al conductor con un cuadrúpedo, un cornudo, una peste o un enterrador. Son muy útiles las alusiones irónicas a defectos en la visión y a la necesidad de acudir al oculista, que también se utilizan con notable frecuencia para ridiculizar a los árbitros de fútbol.

CUANDO
EL AUTOMOVILISTA
ES MUJER

La costumbre hace que si el automovilista es de sexo femenino, el insulto consiste preferentemente en reprocharle su condición de mujer.

Este comportamiento es doblemente erróneo:

1. Porque la mujer al volante es notablemente más precavida que el varón.
2. Porque es tan injusto como atribuir los supuestos errores de un conductor al hecho de ser sacerdote, vestir de pana, llevar un vehículo matriculado en Toledo *(¡Bolo tenías que ser!)* o ser negro. Además, chillar a una mujer está muy feo.

No tan feo cuando quien recrimina es un peatón y la recriminada va en coche. El peatón goza de una efectiva superioridad moral sobre el automovilista, la

superioridad del débil respecto al fuerte; la misma
que, en caso de violencia entre un adulto y un niño
hace que la gente se ponga, sin preguntar, de parte
del niño. Entre el peatón y el automovilista, la gente
suele solidarizarse con el débil, el peatón, aunque sea
un tiazo; contra la automovilista, aunque sea menu
dita y pálida.

Pero eso es rutinario e injusto; insultar a una mu
jer por el hecho de ser mujer y conducir un automó
vil es algo que no debe hacerse. Y menos aún aña
diendo a la descortesía el insulto: sería insultar des
de el prejuicio.

Como mujer, no, de acuerdo. Pero como automo
vilista, ¿por qué no? Los varones suelen comenta
despectivamente tres comportamientos viciosos de la
automovilistas: se miran en el espejo retrovisor; va
mirando escaparates; hablan sin parar.

Bien, es cierto; cada uno se distrae a su manera
Los hombres no miran escaparates, pero se les va
los ojos tras las peatonas; los hay que braman, y sa
can la cabeza por la ventanilla para hacer el elogi
de unas caderas, de unos andares o de un traser
eminente.

Si hay algún defecto específico de la mujer al vo
lante es, quizá, el exceso de prudencia, por el que,
veces, entorpece la circulación. Este, y una cierta fa
ta de facultades físicas para las maniobras de estacio
namiento.

Cuando por alguna de estas causas al conducto
varón se le alteran los nervios, piense en sus propic
defectos y, como mucho, reproche a la automovilist
su lentitud con un comentario irónico:

—¡Temeraria: te vas a matar!

Por lo demás, olvídese el sexo: una mujer al volante es un automovilista.

DE VENTANILLA A VENTANILLA

Entre automovilistas —el fenómeno ha sido muy estudiado por psicólogos, sociólogos y escritores— el insulto, más que desahogo frecuente o hábito desagradable, es manifestación ordinaria de comportamiento normal. Rara vez, aunque se dan casos, un automovilista se dirige a otro para cederle el paso en un punto de prioridad dudosa o para darle las gra-

cias por algún acto de cortesía viaria. El conductor, encastillado en su habitáculo de hierro, es un ser agresivo que cuando aparta la vista de la calzada para mirar a otro automovilista es porque ve en él un agresor o una fácil pieza de caza.

El insulto entre automovilistas va desde la mirada acusadora, el gesto de desprecio o amenaza, el bocinazo y el lenguaje de signos, hasta la agresión verbal.

Dos son los signos insultantes más frecuentes y se corresponden con dos tipos de incidentes bien diferenciados:

I. Cuando el automovilista ha abusado, pisoteado o burlado los derechos de otro automovilista que le increpa con palabras, gestos o golpes de claxon. El automovilista burlador continúa alegremente su camino y contesta al ofendido alzando un puño con el dedo medio tieso: es el signo del abuso despectivo, un gesto vejatorio que aumenta la irritación del ofendido y sólo le permite el desahogo de una más o menos larga serie de bocinazos.

II. El caso contrario; el del automovilista que se siente atropellado en sus derechos y, ofendido, desea devolver la afrenta. El signo consiste en levantar el puño mostrando los dedos índice y meñique rígidos y dirigidos hacia el ofensor con un movimiento curvo como de cornada.

Existe también el insulto mímico-bucal-silabeado. Se finge hablar al contrario marcando muy bien cada sílaba del insulto por la forma que adoptan los labios para emitir las vocales que contiene y que, en est caso y por su orden, son: *i, o, u, a.* El lector puede colocar las consonantes ausentes; es el número uno de nuestros insultos clásicos.   .

La agresión verbal, a ventanillas abiertas, discurre por los senderos habituales; los mismos que se le ocurren al peatón, aunque la condición compartida de automovilistas permite una cierta especialización dando lugar a comparaciones despectivas, consejos insultantes y juicios envilecedores o sarcásticos:

¡Adiós, Nicky Lauda!
¡Adónde va usted con el Rolls Royce!
¡A tirar de un carro, animal!
¡Aprenda dónde tiene la mano derecha!
¡Cuidado con los frenazos que puede usted dañar el parabrisas con la cuerna!

Y es que el medio, tan trepidante y cinético, no permite sutilezas. Sería bonito intercambiar frases ingeniosas.

—*¿Se siente más cómodo con las gafas en el bolsillo, señor?*
—*No uso gafas, caballero; quizá por eso no veo a su señor padre; ¿usted lo ha visto alguna vez?*
—*Conduce usted maravillosamente, ¿en qué parque de atracciones ha aprendido?*
—*Ve usted tanto como un ojo de cristal puesto en una cerradura.*

Pero el cuidado de no tropezar, la atención a semáforos y guardias, la prisa, la condenada prisa apenas permite otro desahogo que el dibujar con la boca unas vocales: *¡i-o-u-a!*

SALAS

CAPITULO 9

Políticos

> —*Para contestarme en este respetable lugar, haga el favor su señoría de sacarse las manos de los bolsillos.*
>
> —*Con eso no le hago daño a nadie, señor ministro; el problema es que usted mete sus manos en los bolsillos de todos los demás.*

La política es, después del fútbol y el automóvil, la actividad humana que genera más insultos. En España, apenas existe el insulto entre los políticos; si lo hacen se escandaliza mucho la gente. Cuando el señor Guerra calificó al entonces Presidente Suárez de *tahúr del Misisipi* hubo mucho aspaviento. No tanto cuando al señor Guerra lo calificaron de *cobra con gafas bifocales*.

Es raro este fenómeno de continencia verbal; los españoles tenemos fama de vocingleros, amigos de pendencias, descarados y aun de inverecundos. Decía Ortega que en Europa solamente los napolitanos compiten con nosotros en riqueza lingüística de palabras injuriosas, juramentos e interjecciones. Sin embargo, los políticos españoles, desde hace cincuenta años,

se abstienen del insulto en sus intervenciones parlamentarias. Solamente en las campañas electorales llega noticia de algún exceso a conocimiento del pueblo, y, aun así, no se puede hablar de verdaderos insultos, sino, todo lo más, de insinuaciones injuriosas —raramente personalizadas como «Fulano esnifa»— casi siempre generalizantes: «Se están hinchando», «son unos analfabetos», «pandilla de salteadores»... y otras calificaciones colectivas.

En otras democracias muy consolidadas, el lenguaje político es, frecuentemente, injurioso y, además, de una grosería que aquí sólo es posible encontrar en la novela picaresca y en las series realizadas especialmente para Televisión Española. Asombra leer en la prensa, en libros de memorias, en biografías y en *bestsellers* relacionados con grandes escándalos las cosas que se dicen los políticos unos a otros dentro y fuera de las cámaras y aun de los más respetables e imponentes palacios extranjeros. En la poderosa USA la lucha política es feroz; como dijo un candidato a la presidencia a su comité electoral: *Vamos de hijoputa a hijoputa, que pierda el mejor.* Supongo que en la intención del candidato, *el mejor* es el más *hijoputa,* el que *mejor* merece el calificativo; por tanto, debe perder. Pero esto es sólo una suposición; quizá quería decir lo contrario: que pierda el mejor hombre y gane el peor, el más merecedor del insulto.

ESTADOS UNIDOS

Después del turbulento período erótico-tecnocrático de los Kennedy y del endiablado *Apocalipsis Ni-*

xon-Watergate, el lenguaje y los modales políticos de
alto nivel quedaron muy deteriorados en Norteamé-
rica. Lo que debió actuar como vacuna y detergente,
ha resultado veneno habitual; hoy Washington es un
gran centro de poder con hábitos y lenguaje mezcla
de *western* y novela de *Serie Negra.*

El documento que reproduzco a continuación es
una carta escrita por el señor James Baker, *Chief of
Staff* de la Casa Blanca (Jefe o coordinador de los Secretarios de Estado, asesores y altos cargos del gobierno de los Estados Unidos de América; el hombre
de confianza del Presidente). Fue dirigida al secretario de Estado, David Stockman. El señor Stockman,
desde su cargo de ministro de Economía, había hecho públicamente una severa crítica de la política
económica que realizaba su propio gobierno por orden
del Presidente. La carta es auténtica; la reproduce el
mismo Stockman en su autobiografía recientemente
publicada: un bestseller. Dice, más o menos, así:

*Amigo mío: Deseo que te enteres bien. Tu culo
está en el aire. Todos están deseando convertirte en
mierda enlatada ahora mismo. Si no fuese por mí te
habrían dado ya la patada. Pero yo te voy a conceder
una última oportunidad para salvarte. Vas a ser invi-
tado a comer con el Presidente. El menú es un mo-
desto pastel. Vas a comerte hasta la última jodida
cucharada de él. Vas a ser el más contrito hijo de
puta que se ha visto en este mundo. Cuando salgas
por la puerta del Despacho Oval quiero ver tu lamentable culo arrastrándose por la alfombra.*

No hay ni hubo mentís, nadie ha llevado el escrito a los tribunales; el señor Baker calla, el fiscal

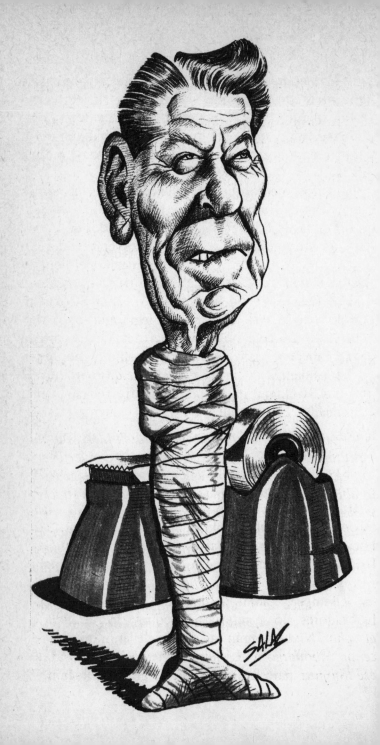

del Estado calla y el injuriado Stockman se ha limitado a reproducirlo.

En tiempos del presidente Nixon, y especialmente como consecuencia del escándalo Watergate, la política norteamericana estuvo —en opinión de todos, incluido el Presidente— plagada de *hijos de puta;* Nixon acostumbraba a calificar así a políticos y periodistas, y a los agentes secretos que lo chantajeaban amenazando con tirar de la manta. Pero él tampoco escapaba al duro insulto; Kissinger, en 1974 —a medida que las cosas se ponían feas para el Presidente—, dijo varias veces, en presencia de políticos, funcionarios y secretarias: «*¡Ese hijoputa* (el Presidente) *tiene que irse; tendrá que renunciar!*»

El general Haig, antes de ascender a secretario de Estado, se ocupaba del papeleo entre la Presidencia y los ministros, y, a veces, corregía los escritos de sus ayudantes: «Hay que hacerlo otra vez —decía—; tenemos que adaptarlo a la mentalidad de esos mierdas.» Esos *mierdas* eran Kissinger, Adelman, Colson...

Kissinger, como si lo supiera —y podía saberlo porque en la Casa Blanca estaban *pinchados* todos los teléfonos y había mucho micrófono escondido— trataba a Haig a patadas, lo que motivó que Coleman Hicks, uno de los secretarios de Kissinger, dijese refiriéndose al general: «*Sólo alguien adiestrado para recibir mierda puede soportar esto.*»

Kissinger, cuando hablaba de Nixon con sus colaboradores, no se refería a él como *el Presidente* o *el señor Nixon;* según su estado de ánimo decía *el señor Albóndiga* o *el Viejo Borracho,* dejando lo de *ese hijoputa* para los momentos de grave irritación.

Fue un español quien, quizá, con más exactitud que cualquier alto personaje norteamericano sintetizó este estado de aspereza y procacidad existente entre el personal de la Casa Blanca. Manolo Sánchez, el ayuda de Cámara de Richard Nixon, dijo tras la noche sin sueño en la que su señor decidió dimitir: «*El Presidente es inocente. Esos cabrones le crucificaron.*»

GRAN BRETAÑA

En un país como Gran Bretaña, habitado por gente tan seria y circunspecta, los políticos, sorprendentemente, se insultan con estilo de macarras. A veces luce en sus navajazos dialécticos el humor anglosajón, pero lo normal es la agresión vulgar, la sal gorda, la comparación degradante, la alusión al defecto físico, a las inclinaciones morbosas o a la condición social. Uno de los *imperdonables defectos* que con más frecuencia reprochan a la Premier Margaret Thatcher es su condición de hija de un tendero de comestibles: *The Grantham Grocer's daughter* (*), dicen con venenoso retintín, como si en ello hubiese algo vergonzoso en lugar de un muy legítimo y respetable motivo de orgullo. Al menos para el tendero; quién se lo iba a decir al buen hombre cuando, en lugar de poner a Maggy detrás del mostrador a impregnarse de olor a bacalao —que es lo que más se pega—, decidió enviarla a la Universidad para que se hiciese un hombre. (Perdón; al hablar de doña Margaret to-

---

(*) La hija del tendero de Grantham.

dos caemos en la tentación de hacer el graciosillo: lo lamento.)

Graham Jones, comentarista político británico, en un ensayo sobre los malos tratos verbales entre profesionales de la política, publica más de ciento cincuenta motes y calificativos insultantes dedicados por amigos y enemigos a *La Dama de Hierro* (éste es el mote más famoso y se usa lo mismo en sentido laudatorio que ofensivo) todos ellos recogidos en diarios, semanarios y libros.

Vean algunas de las guindas con que colegas, comentaristas y simples opinantes adornan ese empolvado pastel de roca que es Margaret Thatcher:

Juanita Calamidad.
Mis Latiguito.
La Gran Elefanta.
La Increíble Revoltosilla.
El Loro en el Hombro de Reagan.
Rambona.
Rambina.
Wiston Churchil con Faldas.
El Enemigo Exterior.
La Mujer-Pez.
El Pigmeo Gesticulante.
Taconesdeacero.
Muñeca Enguantada de Reagan.
La Bruja del Oeste.
El Dictador.
Thatcher Subeimpuestos.
Thatchertollah.
La Inmaculada Desconcepción.
Peligrosa Muñeca.

TBW (*That Bloody Woman*. Esa Sangrienta Mujer).

La Loca.

La Gran Hermana.

El Jefe.

La Gallina Atila.

El Tiburón Varado.

El Jefecito.

El Caballero de la Guerra Fría.

El Cuco.

Reina de la Guerra y la Escasez.

Miss Iceberg.

La más Madam (*regidora de prostíbulo*) de todas las Madam. (En un manifiesto de la Asociación de Prostitutas del Reino Unido.)

Asesina (autor, el pacífico coronel Gadafi).

La Niñera de la Nación.

Vieja Bota.

Viejo Pantalón de Hierro.

El Loro.

Prostituta Política.

Reina Canuta.

La Estúpida.

El Hombre Subrogado (*Subrogadas* son las madres embarazadas con un bebé probeta de otra madre).

El Arbol Venenoso.

Lady Uranio.

Bamby con Misiles.

La Perra.

Príncipe Negro.

Perra de la Guerra Fría.

Evita.

El Gran Verdugo.

La Calentona.

La Mariposa de Acero.

Mama Doc.

La Marcos.

Imelda Dos.

Mucho Peinado para Nada.

Mamá Judía.

Jamelgo.

La Vieja Mujer de Hierro. (En un libro escolar de izquierda.)

El Original de la Muñeca Repollo.

Santo Patrón de los Ricos.

El Fantasma de la Opera de Westminster.

Salomé de los Suburbios.

Thatcher Muralla.

Matona.

La Zarina.

Para empeorar las cosas, la señora Thatcher tiene numerosas coincidencias con otro estadista que tampoco le cae bien a los políticos llamados progresistas, desde el centro-derecha hasta la extrema izquierda. De ahí motes como *Loro en el hombro de Reagan* y otros.

Esto ha inspirado insultos dobles, que comprenden a los dos:

Arsénico y Encaje Antiguo.

Rambo y Rambina.

Ronald Tarzán y Chita Margaret.

A costa de Ronald Reagan, en solitario, se hace también mucho humor fácil. Por ejemplo:

«Fue un actor para películas de la serie B y es un Presidente de la serie B; el único en la historia de los Estados Unidos del que no se podrá decir que fue a menos.»

«En las películas siempre había uno más guapo que le quitaba la chica.»

«¿Ronald Presidente? No, mejor James Stewart Presidente y Ronald su mejor amigo.»

«Un éxito del arte de embalsamar.»

ITALIA

Los políticos italianos son muy profesionales; algunos llevan cuarenta y cincuenta años en el oficio. Se insultan mucho, pero con escasísima imaginación, apenas inventan; en sus improperios, más que hacer la caricatura que puede ser el insulto bien hecho (llamar *Rambina* a Margaret Thatcher o *Rosa de Pitiminí* a Rodríguez Sahagún) lo que hacen es evidenciar un defecto existente o probable. Es como llamar *tuerto* a un tuerto; disparan contra el adversario la palabra *fascista* en un país en el que gran parte de los actuales políticos fueron fascistas de alguna manera; llaman *chorizo* a un parlamentario o un ministro, lo que no requiere mucha imaginación en un país en el que se producen constantes escándalos financieros con implicados políticos; en Italia hubo un Presidente de la República a quien se dio a elegir entre la dimisión de su altísimo cargo o la cárcel acusado de *chorizo* y no se querelló por injurias; eligió la dimisión muy

seriecito y con cara de ofendido, como preguntándose
por qué le tocaba la china a él habiendo tantos.

También, como consecuencia, sin duda, de su no
siempre armoniosa simbiosis con la curia vaticana,
abundan insultos como *fariseo, meapilas, jesuita, se
pulcro blanqueado*... Tan ásperos resultan frecuente
mente los debates, que el eterno ministro Giulio An
dreotti ha escrito un libro titulado *Cierre la boca
Onorevole. Onorevole* es, en Italia, el equivalente a
Señoría del parlamento español y al *Honourable Gen
tleman* del británico.

Andreotti es uno de los políticos profesionale
más listos de Occidente; lleva *treinta y seis años in
interrumpidos* de ministro; cuando cae un gobierno
Andreotti sólo cambia, como mucho, de ministerio
y en varias ocasiones ha dejado de ser titular de una
cartera porque las ha trincado todas al ser designado
presidente del gobierno. Una de las tantas veces er
que ejercía de *ministro en funciones* por haber sido
derribado su gobierno y aquello parecía tener mu
mal arreglo, alguien le dijo, como justificando la de
bilidad del gobierno caído:

—Es que el poder desgasta mucho.

—Desgasta mucho más no estar en él —respon
dió con su sonrisita sardónica el habilísimo político

Ahora, en su libro, cuenta que dejó de llevar
su hijo pequeño a ver sesiones del parlamento par
evitar que oyese las palabrotas de los diputados, que
en plan fino, llamaban a un colega *idiota al cubo
asesino* o *limpiabotas,* pero, puestos a insultar sin re
peto, empleaban palabras, además de injuriosas, ob
cenas, que escandalizaban a la criatura.

Sin embargo, escasean la inventiva y el gracejo hasta el punto de considerar muy ingenioso un cruce de palabras como éste:

Onorevole Pochetti.—*¿Cuándo empezaste a relinchar, Panella?*

Onorevole Panella.—*Cuando te oí rebuznar; por compañerismo de especie.*

El onorevole Panella es jefe del Partido Radical en el que milita la famosa diputada *Cicciolina*.

CAPITULO 10

Los españoles insultan algo mejor

> Diputado conservador.—*Soy conservador; mi padre y mi abuelo fueron conservadores.*
> Diputado liberal.—*Y si sus padres hubiesen sido reventadores de cajas de caudales, ¿qué sería usted?*
> Diputado conservador.—*Liberal.*

Contra lo que podría esperarse de los representantes elegidos por un pueblo chispeante y jacarandoso, los políticos españoles ofrecen al público un espectáculo más bien aburrido. La culpa es, quizá, del pueblo que, engatusado por los espectaculares montajes electorales, imagina que todo el año ha de ser igual, provocador, animado, brillante y reñido. La realidad del trabajo parlamentario es, por el contrario, monótona, gris, tediosa aquí y en todos los parlamentos del mundo. Los diputados fran-

ceses y los ingleses se aburren entre sí y aburren a
la afición; los suecos y los noruegos tienen la gracia
de una máquina registradora; los daneses podrían ser
divertidos por la seriedad con que debaten asuntos
como el derecho al desnudo en las vías y parques pú-
blicos o la regulación del matrimonio entre homosexuales, pero lo hacen igualmente plúmbeo porque
basan la discusión en argumentos científicos, filosó-
ficos, económicos y fiscales y a nadie se le ocurre
poner en la controversia lo que aquí se llamaría *una
miajita de cachondeo,* una pizca de guasa. Pocas veces la sal del insulto ocurrente pone un punto de sa-
bor y de gracia en los debates parlamentarios de cualquier país del Este o del Oeste.

Dentro de ese panorama monótono, insípido y te-
dioso, de esa plúmbea desgana con que los diputados
de todo el mundo cumplen el calendario y se atienen
al ceremonial, los políticos españoles podrían ser cla-
sificados entre los más ingeniosos, aunque rara vez lo
exterioricen en el salón de sesiones y prefieran sacar
el aguijón fuera del hemiciclo. En los pasillos se oyen
frecuentemente declaraciones injuriosas y comentarios insultantes bastante bien elaborados.

Cuernos

Hay réplicas que alguno con evidente ligereza ca-
lificaría de *históricas* porque figuran en libros y cró-
nicas, y que, en realidad, sólo fueron moderadamente
ingeniosas aunque oportunas; a ello se debe su permanencia en la memoria colectiva.

Un diputado interrumpió, en el Parlamento de la
Segunda República, al señor Gil Robles, líder mayo-

itario de la oposición conservadora, diciendo más o
menos: *Su señoría es un cursi; duerme con camisón.*
El señor Gil Robles respondió al vuelo: *Qué indiscre-
ta es la esposa de su señoría.*

Enchufismo

En otra ocasión, un parlamentario, que anuncia-
ba en dramático discurso la posibilidad de un futuro
catastrófico, preguntó con gesto muy teatral:
—*¿Qué va a ser de nuestros hijos?*
La respuesta fue inmediata, brillante e impecable:
—*¡Al suyo lo hemos hecho subsecretario!*

Fugaces y perennes

La costumbre continúa y cunden el insulto, la réplica mordaz y la anécdota ridiculizante. En ellas suelen aparecer casi siempre los mismos nombres, unos
con carácter permanente —los señores Guerra, Rodríguez Sahagún, Morán— y otros en forma pasajera, por circunstancias coyunturales que les han puesto de moda, aparte de los personajes que, como Suárez, González y Fraga, *salen siempre* debido a la
espectacularidad de los papeles que les repartieron y
que han jugado independientemente de la importancia real y de los altibajos de sus partidos. Otros han
tenido un momento fugaz de popularidad y dejan de
atraer los dardos de políticos, periodistas y caricatos
tan pronto como pierde actualidad su cargo, su problema o su circunstancia tan inseparable del hombre,
tan esencial en el político.

Impopular, frágil y, sin embargo, desconocido

Los ministros de Agricultura, por ejemplo, son en España, muy poco populares, casi desconocidos difícilmente se les cita por su nombre, que la gente desconoce. Pero, quizá por la misma razón, porque nadie les da importancia, es muy frecuente oír bromas acerca de ellos.

De dos, que yo recuerde, se contaba el chiste del telegrama. Este telegrama:

Mamá, a Fulano (aquí el nombre de pila de su excelencia) *lo han hecho ministro de Agricultura. Te lo juro.* (Firmado por un hermano del ministro.)

Basura

Un insulto especialmente apropiado para ministros de Agricultura ha circulado en tiempos más recientes:

Después de una intervención parlamentaria del ministro, un diputado pide la palabra y empieza su discurso con estas palabras:

—*Dice usted que ha hecho mucho por la agricultura; será como fertilizante.*

Un modo casi impecable de llamarle *basura*.

Basto

Del actual ministro del Interior, señor Barrionuevo, hombre de aspecto y modales poco refinados dijo alguien:

—*Tiene el mismo empaque que un saco de patatas.*

Serio

Don Leopoldo Calvo Sotelo ha sido, quizá, el Primer Ministro más satirizado de la transición; su impasibilidad, su aire escasamente comunicativo, su actitud entre la perplejidad y el desdén, su tiesura, su bañador —todo ello unido a una aparente desmaña en la gestión de la cosa pública— dieron pie a numerosas anécdotas, unas ciertas y otras inventadas, como la que atribuyeron a su antecesor Suárez, que tenía fama de todo lo contrario que don Leopoldo: de guapo, listo y habilidoso.

—*Por fin* —cuentan que dijo Suárez—, *el partido tiene un líder más guapo que yo.*

Sueño

A un diputado nacionalista que se dormía en los debates y pronunciaba largos y lastimeros discursos pidiendo al Gobierno más autonomía, más competencias, más dinero:

—*Su señoría duerme como un niño: media hora durmiendo y una llorando.*

La pálida figura del ex

De un exministro, de la desaparecida UCD, al que un año después del cese nadie recordaba:

—*Mírale, parece un panteón que ha perdido todos sus mármoles.*

Promesas electorales

De don Felipe González en campaña electoral: *Habla como un rey mago loco tirando regalos desde su camello a todo el mundo, incluso a quienes no le enseñan el carné: ochocientos mil puestos de trabajo, OTAN no, que esto funcione. Y la ética.*

Mucho ruido y pocas nueces

Del señor Tamames: *Cuando trepida el frigorífico, las botellas vacías son las que hacen más ruido.*

Lo mismo, pero sin nueces

De don Landelino Lavilla: *Es como un precioso frasco de perfume, lleno de agua mineral sin gas.*

Del mismo señor Lavilla, se cuenta que alguien, al llegar al Congreso del que era presidente, preguntó:

—*¿Está Landelino?*

—*Está expuesto* —respondió don Leopoldo Calvo Sotelo.

Huelguistas

De los compañeros Camacho y Redondo: *Deberían declararse en huelga de vez en cuando y darle a España unos días de normalidad.*

Nadie lo entiende

Habla tan rápido como Fraga y dice cosas tan incomprensibles como Roca para intentar colocarnos camelos tan fantásticos como los de Felipe González.

Mitificante

De Santiago Carrillo: *Si los trabajadores supiesen quién es, no le votarían más. Y si le votaran comprenderíamos que los egipcios adorasen a un escarabajo.*

Tránsfugas

De Alzaga: *Le ha robado a Fraga la ropa y viene con ella al Parlamento.*

Estadista

De don Adolfo Suárez: *Sabe muy poco de gran número de cosas y no tiene ni idea de todas las demás.*

Del mismo: *Dice que es un hombre que se ha hecho a sí mismo... Pues no hay motivo para que reverencie tanto a su creador.*

Sanidad

Del señor García Vargas: *Si se cayera al mar sería un lamentable accidente. Y si alguien lo sacara sería una calamidad nacional.*

De imposible compostura

Del señor Verstringe: *No tiene un solo defecto... que pueda ser reparado.*

Boca cerrada

Nunca abrió Sisebuto los labios
y todos lo tenían por un sabio.
Pero una vez que habló Sisebuto
todos se dieron cuenta de que era muy bruto.

(Oído a un ujier del Congreso)

Talante negociador

Un diputado de la izquierda y otro de la derecha comentan la posibilidad de que el expresidente Suárez apoye con sus votos al Gobierno o a la oposición.

—*Dice que cuando termine el debate decidirá quién tiene razón; que él no negocia sus votos.*

—*Es capaz de negociar hasta la salida del retrete si desde dentro se entera de que hay gente haciendo cola.*

Líderes iguales

Fraga y Hernández Mancha:
—*Son iguales.*
—*¿Iguales?*
—*Iguales que Rambo y Pulgarcito.*

Versatilidad

—*El señor González tiene un buen asesor de imagen.*
—*Un mago; consigue que parezca un demócra-*

ta en Madrid, un revolucionario en Antequera, una hoz en Nicaragua, un martillo en Moscú, un Rockefeller en Washington, un habano en la Habana y una colilla en el partido.

Vocación indecisa

Cuando el político gallego señor Barreiro pasó de ser vicepresidente de un gobierno conservador a vicepresidente de un gobierno socialista:

—*Es un caso de vocación indecisa. Dudando entre el sacerdocio y el circo, decidió hacerse político.*

Rumores de crisis

El ministro defiende su proposición de ley.

—*Y no es un capricho mío; quizá ni siquiera es la ley que yo personalmente deseo porque me gustaría un proyecto más avanzado, pero es la ley que desea mi gobierno y yo estoy integrado en el gobierno.*

—*Usted no está integrado en su gobierno; usted quedó dentro en la última crisis como unas tijeras olvidadas en la tripa de un operado de apendicitis; si el gobierno quiere sobrevivir, será usted extraído en una próxima operación.*

Duda

—*¡Os pido que voteis por mí: que voteis por un gobierno decente!*

—*¿En qué quedamos?*

Riesgo

—*Buscar el apoyo de Barreiro para una coalición es como buscar la ayuda de una excavadora.*

Diputado

—*Lo malo no es que sea el más bruto del Congreso; lo malo es que viene todos los días.*

De Carvajal

Un caso de supervivencia del arte Churrigueresco.

Lenguaje tecno

A un líder sindicalista le hace los discursos su gabinete económico-técnico y él los lee cuidadosamente, aunque intercalando conceptos y alusiones que le pide el cuerpo:

La inicialización del posicionamiento del sistema, requiere que la atención prioritaria sea explicitable al nivel de cualquier modelo económico, (Y, sin pausa, añade por su cuenta) *... o los chupasangres de siempre nos llevarán históricamente arrastrando el culo por los rastrojos.*

Y también:

El organigrama proyectivo nunca asume la consideración prioritaria aplicable a la óptima estructura estandarizada (dirige la mirada al pueblo) *a fin de que los corniveletos del Gran Capital estrellen sus testuces contra el burladero de nuestros pechos proletarios.*

Lenguaje de sordos

F. González.—*Yo escucho con el máximo respeto las preguntas de sus señorías y respondo a ellas con seriedad absoluta.*

Diputado.—*Hacerle a usted preguntas en los debates parlamentarios es como hacer una llamada telefónica importantísima y que responda el contestador automático.*

Dialéctica del poder

Al mismo don Felipe González, le reprocharon:
Hablar con él es como poner la cara para que un niño rico se harte de tirarte pasteles de crema.

La derecha sosegada

Decían los propios «ministros» del señor Fernández Albor cuando presidía el gobierno autonómico gallego:

—*Podríamos guardarlo en una bolsa de polvo para aspiradora sin que se oyese una queja de los votantes ni de Galicia ni del partido.*

Partido de masas

De Ramón Tamames que ha pasado por todos los colores, hasta los del Arco Iris ecologista:

—*Reunió a sus bases en un Congreso Extraordinario y decidieron irse los cuatro a formar otro partido.*

Transformismo

—*Tiene ropa, peinados y palabras diferentes para cada auditorio. Es Mari Carmen y sus muñecos; todo en una pieza.*

Cultura

De don Javier Solana:
—*Tiene una esmerada educación; de niño, el colegio del Pilar, y ahora, la Movida y Rumasa.*

Nubarrón

De don Alfonso Guerra:
—*Es la nube verdadera en esos carteles de flores y pájaros que usan en las campañas electorales.*

Compromiso

En una reunión del grupo parlamentario, el señor Solchaga dice a sus compañeros de partido:
—*Espero vuestro voto favorable cuando presente este proyecto.*
—*Ni lo pienses* —dice un crítico—; *en este grupo somos socialistas.*

Aspirante

De un político que ha estado varias veces a punto de ser ministro, pero no lo ha sido nunca:
—*Es el más ministrable de los ministrables; así siempre.*

Del mismo:
—*En un gobierno de incompetentes él sería el más incompetente, siempre que allí no estuviese Almunia, Julián Campo, Lluch, García Vargas, Camuñas, Cavero, Gamir, Morán...*

Inmadurez

De Maravall:
—*Récord mundial de permanencia en la edad del pavo.*

Habilidoso

De Fernández Ordóñez:
—*Si te dicen que han visto a F. Ordóñez andando sobre las aguas significa que Ordóñez no sabe nadar.*

Intoxicados

—*Tiene usted mucho sentido del rumor.*

Réplica

—*¡Haga el favor de no interrumpir cuando le estoy interrumpiendo!*

Elecciones municipales

De una candidatura de Alianza Popular:
—*Es como un mecano muy aparatoso con el que puedes construir exactamente nada.*

Personalidad

De Rodríguez Sahagún:
Hay algo en él que no gusta; sobre todo, la parte que queda entre las dos orejas.

Imagen

De dos hermanos políticos:
Robles Piquer es alto y delgado como de pasar hambre.
Fraga gordo y sonriente, como de ser él quien se la hace pasar.

Joven promesa

De Hernández Mancha:
—Cuando dicen que va a ser candidato a primer ministro, significa que será el primer párvulo que aspira a ser ministro.

Gesto ofendido

De Herrero de Miñón:
—Está en su escaño como el cazador que mata una perdiz tras otra y ve que, una tras otra, se las apuntan otros cazadores.

De poco fiar

De Martín Villa:
—Dice que él sólo entraría en un gobierno con gente a la que conozca bien.
—O sea con gente que no le parece bien a nadie.

Mucho ruido

De Fraga:
—*Es como esos botes de jabón de afeitar a presión; aprietas y sale la espuma a barullo, no hay quien la domine, y luego terminan con una pedorretilla de gas.*

Inasequibles al desánimo

De una lista electoral de Fuerzas Nacionales:
—*Otra vez caídos por Dios y por la Patria.*

Dicho por un compañero de partido

De Fernando Suárez:
—*Un fiscal por su estilo; un condenado por los resultados.*

CAPITULO 11

Feos, pequeños, pesados, etc.

FEOS

Pocos son los seres humanos feos que conocen su fealdad; digo *conocen,* no *reconocen*; eso supondría un previo conocimiento. El feo, la fea, están acostumbrados a sus caras de camello, de mono, de perro, de armario, de pájaro, de catre, de pera, de pez, y lo mismo les ocurre a quienes podrían servirles de espejito mágico y decirles la verdad: sus padres, sus hermanos. Todos los niños son, al nacer, feos o feísimos; después, en los primeros días de vida extrauterina, su aspecto mejora en todos los casos; es una generosa trampa de la Naturaleza para evitarles la objetividad autocrítica. Durante unos días, unas semanas, sus padres, sus hermanos son testigos de que el crío mejora de aspecto, está *más guapo* —en realidad está menos feo, pero eso no se le ocurre a nadie—, y esa pequeña regresión de la fealdad prenatal enmascara para siempre la dura realidad. Nunca advertirán su fealdad.

Por eso es posible darse el placer de insultar a un feo llamándole, simplemente, feo; le dolerá, como le duele que le digan cornudo al que ignora serlo pero lo sospecha, y sordo al que se empeña en que él oye bien, pero la gente es tonta y habla muy bajito.

Todos hemos sido testigos, en más de una ocasión, de este fenómeno. En hombres no es tan observable porque raramente se les reprocha su fealdad. Al contrario, hay quien se jacta de ella por culpa de esta castiza ordinariez: *el hombre y el oso cuanto más feo más hermoso*. Pero en la mujer, la gracia o la desgracia física —especialmente la facial— son su circunstancia por encima de otros dones o carencias; algo trascendental. Ante el insulto simple y casi monosilábico, *¡fea!*, las feas reaccionan violentamente siempre, todas; se indignan por un ataque verbal que sólo es, en realidad, una constatación. Las bellas lo oyen muy tranquilas, raramente se molestan, e incluso lo agradecen convencidas de que es piropo o halago, *¡fea!*; por contra, también ocurre que cuando a una birria alguien le dice *¡guapa!*, la birria se mosquea y da señales de enojo o, por lo menos, de reconcomio motivado no por desacuerdo con la expresión sino por el retintín.

Feo es insulto válido, breve y propio para un desahogo apresurado, callejero, automovilístico. Pero como todos los epítetos, sólo merece ser usado en caso de urgencia. La fealdad debe dar ocasión a uso de la ironía, la metáfora, la frase ingeniosa.

Cuando viaja en avión sus familiares le tapan la cabeza con una manta y le ponen un cartel de NO MOLESTEN.

Me recuerda a una gallina matada a escobazos.

Es tan desagradable como un hipopótamo con halitosis.

Podría sentirse feliz siendo en realidad como cualquiera de sus caricaturas.

Tiene las uñas sucias y la cara a juego.

Es más feo que el sobaco de un mono.

Por fin se encontró a sí mismo. Un día desgraciado lo tiene cualquiera.

———

Usted manda su fotografía al Club de las Almas Solitarias y se la devuelven con una nota: «No estamos tan solas.»

———

Vuelve de todos los paseos bajo las estrellas sin haber tenido que usar la barra de labios.

———

Ha estado montones de veces a solas con amigos en coche y todavía no sabe que los respaldos se pueden echar para atrás.

———

En la puerta de su despacho han puesto un letrero: sonría a pesar de todo.

———

Le llaman Queeseso: cuando los familiares lo veían recién nacido preguntaban: ¿qué es eso?

————

Cuando entras en una habitación los ratones se suben a las sillas.

————

Te miran dos veces porque a la primera no se lo creen.

————

La última vez que vi una cara como la tuya colgaba de un anzuelo.

————

Eres más feo que pegar a un padre con un calcetín sudado y quitarle el tabaco.

————

Si volasen los feos, tú serías el rey de los buitres.

————

No es que seas feo, es que eres abstracto.

————

Era tan feo que se fue a comprar una careta y sólo le dieron la goma.

————

Era tan feo que se presentó a un concurso de feos y le hicieron la prueba del dopping.

————

Eres más feo que el sobaco de un grillo.

———————

Eres más feo que el culo de un mono.

———————

Eres tan feo que tu madre tuvo que darte de mamar con los ojos cerrados.

———————

Te llaman el óxido ferroso (Fe O).

———————

Comes de espaldas a la mesa.

———————

Tienes las orejas de un seiscientos con las puertas abiertas.

PEQUEÑOS

Era una tía tan pequeña, que en vez de tener el mes, tenía un ratito.

———————

Es tan pequeño que se sentó en una canica y dijo: ¡el mundo es mío!

———————

Eres tan bajo que te sientas en un duro y te cuelgan los pies.

PATOSOS

Su idea de una broma graciosa es echar mierda al ventilador.

—*Yo tengo mucha cuerda.*
—*Pues cuélgate con ella.*

Desde niño se lo recomendaban sus padres: «Si la fiesta te parece que decae, por Dios Santo, no intentes animarla.»

—*Reconozco que no tengo buenos modales, que chillo demasiado, que cuento muy mal los chistes...*
—*Y sin embargo, tienes un no sé qué que repele a todo el mundo.*

Es tan malo que se hizo ventrílocuo y el muñeco se buscó otro socio.

El día que su padre reunió a unos amigos para beberse una caja de cervezas, clavó las puertas del cuarto de baño.

TACAÑOS

Cuando le visita su suegra, le esconde la dentadura postiza para evitar que coja comida de la nevera entre horas.

———

Intentó suicidarse bebiendo un litro de lejía, pero fue al supermercado a recuperar las diez pesetas del casco y eso le salvó la vida.

———

A la hora de pagar una ronda entre amigos, se le duerme la mano buscando la cartera.

———

—El dinero es en lo último que pienso.
—Cuando te vas a la cama.

———

Después de la boda encargó a su hermano que recogiese el arroz y se lo guardase para el regreso.

———

Tiene convencida a su mujer de que los abrigos de piel la hacen gorda.

———

Eres más atado que una ristra de ajos.

———

Se estira menos que el portero de un futbolín.

———————

Te gastas menos que un avión en bocinas.

AÑOS

Me podías haber dicho que no tenías bastante y yo te hubiese traído las velitas que faltan en el pastel.

———————

Deberías cumplir años con más frecuencia, está dejando a tu marido envejecer solo.

———————

Estos diez años entre los treinta y nueve y los cuarenta se te deben haber hecho un poco pesados.

———————

Te puedo alargar la vida diez años simplemente diciendo los que tienes.

———————

¿Y este año, cuántos has decidido cumplir?

———————

—*No soy la misma de hace quince años.*
—*No. Has cumplido siete más.*

———————

El juez: «Diga su edad de una vez, señora, cada minuto que pasa lo empeora.»

———

Nunca exige a sus compañeros de noche que no lo cuenten: está en una edad que necesita publicidad.

———

—Para mí, lo más difícil fue pasar la barrera de los treinta y nueve a los cuarenta.
—¡Como que tardaste nueve años en conseguirlo!

———

Tuvo un arranque de autocrítica y reconoció que había cumplido los cincuenta. Pero no se lo dijo a nadie.

PESADOS

—No pretendo ser quien diga la última palabra.
—No, usted prefiere decir las diez mil últimas.

———

Habla tres idiomas y no sabe estar callado en ninguno.

———

La operación duró media hora, pero lleva treinta años contándola.

———

—¡Me deja usted sin habla!
—No caerá esa breva.

———————

Si mis palabras le han molestado ligeramente crea que lo siento, no he sabido encontrar otras más molestas.

VAGOS

Veo que no le asusta el trabajo duro, lleva luchando contra él desde que entró en la empresa.

———————

Le voy a poner a usted dos mesas, una para cada pie.

———————

El mes pasado le regalé el libro Cómo luchar contra la vagancia y, por los resultados, veo que se lo regaló usted al compañero de al lado.

———————

Su último esfuerzo fue el primer vagido al nacer.

———————

Tan activo como la momia de Tutankhamen.

———————

Entra usted en la oficina pensando que no hay nada que hacer y que sólo va a hacer la mitad.

MATRIMONIOS

—*Mi marido es un alma exquisita.*
—*Yo no tengo esa suerte, el mío sigue vivo.*

———

Vuelvo a tu lado. Me fastidiaba pensar lo bien que lo estarías pasando.

———

—*Tuviste mala suerte en tu primer matrimonio, e abandonó tu marido.*
—*Peor la tengo en el segundo, mi marido no e va.*

———

—*Llevo veinte años enamorado de la misma mujer.*
—*Si te oye tu esposa, te mata.*

———

No hay otro hombre en mi vida, pero concédeme l divorcio y verás lo que tardo.

———

Dile a tu abogado que no me hable de buscarnos na solución financiera cuando habla de buscarte una olución financiera.

———

Te casaste conmigo por la paga y te separas por la pensión alimenticia.

————————

Llevas casado conmigo ciento ochenta talonarios.

INUTILES

Hace años era usted un inútil anónimo. Ahora es famoso por su inutilidad.

————————

—*Yo soy muy responsable, señor.*
—*De todas las desgracias que ocurren a su alrededor.*

————————

Usted nunca tropieza dos veces en el mismo sitio. Tropieza siempre en todos los sitios.

————————

¿Que quiere ascender? ¿Quién le dice que yo puedo proporcionarle un globo?

————————

Su estilo para resolver asuntos urgentes es, clavado, el de un pato de goma.

————————

—*Estoy intentando aprender los trucos del oficio.*
—*Aprenda primero el oficio; le sugiero.*

————————

Es tan seguro como un preservativo de acero inoxidable.

———————

Divertido como una tortuga hartita de valium.

———————

De pequeño, sus padres creyeron que lo habían perdido. Pero no se adentraron lo bastante en el bosque.

———————

Sus padres casi nunca le pegaron. Sólo en defensa propia.

———————

Le advierto que entre una palmada en la espalda y una patada en el culo sólo hay treinta centímetros.

———————

Este negocio es como un barco de vela. Y usted es tan útil como una bomba de bicicleta en un velero.

———————

Lo suyo no es un complejo de inferioridad: usted es inferior.

———————

Cualquier oportunidad la convierte usted en problema.

———————

Usted entra en la cocina a ayudar y pide un abre-
latas para abrir los huevos.

———————

Para contar hasta veinte tiene que quitarse los
zapatos.

———————

¡Hombre, cero grados!; qué bien, ni frío ni calor.

———————

Sí, claro, con un seguro de diez millones se muere
usted igual que con un seguro de un millón.

———————

Usted es capaz de parar al coche regadera para
advertir al conductor que se le sale el agua.

———————

Si lo compro a usted por lo que vale y lo vendo
por lo que usted cree valer, me hago rico.

LISTILLOS

—Usted sería capaz de matar a sus padres y pe-
dir clemencia por ser un pobre huérfano.

———————

—Como jefe se las sabe usted todas: deja la res-
ponsabilidad a su segundo, se escabulle cuando hay
que hacer un esfuerzo, y se apunta todos los tantos.

———————

—Hay que tratar con él como si fueses a hacer el amor con un puercoespín.

———————

—Es tan fantasma que felicita a sus padres cada vez que cumple años.

GORDAS

—No se sabe si está dentro de la ropa o está intentando salir de ella.

———————

—Con la ropa puesta parece una cama sin hacer.

———————

—Tienes las medidas equilibradas, perfectas: 95-95-95.

ORGULLOSOS DE HABERSE HECHO A SI MISMOS

—¡Chapucero!

———————

—Mejor hubiese sido encargárselo a otro.

———————

—¿Tomó usted apuntes en el Zoológico?

_____

—Pues hay que terminar el trabajo, amigo, hay que terminarlo.

_____

—¿Se puede saber qué diablos vio usted en el modelo?

_____

—Contrató usted mano de obra muy barata.

_____

—Eso no le disculpa a usted de nada.

_____

—Le exigiré responsabilidades igual que si estuviese usted bien hecho.

CAPÍTULO 12

Cortes

> Señora impertinente con famoso dramaturgo cuya virilidad era puesta en duda:
>
> —*Su cabeza es hermosa, pero sin sexo.*
> —*Dijo la zorra al busto después de olerlo.*
>
> (Atribuido a don JACINTO BENAVENTE)

Este libro sería interminable si se pretendiese introducir en él un extenso apartado para cada una de las situaciones conflictivas en que frecuentemente se ve comprometido el hombre de hoy. En el insulto cabe la especialización, y esto se ve muy claro en los apartados correspondientes a las relaciones matrimoniales, edad, vagancia, fealdad, etcétera, pero, en realidad, cualquier insulto vale para cualquier situación; los tres clásicos a), b) y c) de nuestro idioma son empleados desde hace siglos sin acepción de personas ni menoscabo del artículo 14, capítulo II de la Constitución de 1978, que dice:

Los españoles son iguales ante la ley sin que pueda prevalecer discriminación alguna por razón de nacimiento, raza, sexo, religión, opinión o cualquier otra condición o circunstancia personal o social.

Mucho antes de 1978, y lo mismo ahora en plena vigencia del texto constitucional, los españoles son iguales ante el insulto sin discriminación por cualquiera de las razones previstas:

Por nacimiento:

A cualquiera le nombran a la madre sin tener en cuenta la conducta de la buena señora y sin siquiera conocerla.

Por raza:

Pese a lo mucho que hemos avanzado en el respeto a las minorías étnicas y al color de la piel, aquí se sigue calificando de *gitano* a los pícaros, *judío* a los tacaños, *negro* al esclavizado, *chino* al engañado, *hotentote* al bestia...

Por sexo:

Uno de los insultos más usados, *maricón,* se emplea contra cualquier varón por razones totalmente ajenas a su conducta sexual.

Por religión:

Hereje sigue siendo insulto contra gente irrespetuosa; *converso* y *apóstata* se usan como improperio en asuntos que nada tienen que ver con la fe.

Por opinión:

Rojo o *rojelio* se le dice a cualquiera que observe conducta algo más que liberal; *facha, fascista* o *nazi,* a quien no esté de acuerdo con la izquierda, con los navajeros o con los que orinan en la vía pública.

En general, los tres insultos básicos se utilizan contra cualquier español o española por cualquier motivo y en cualquier lugar, situación o circunstancia. Por tanto, es igual, da lo mismo, no importa para el desahogo inmediato la palabra que se emplee —y de ello son buenos ejemplos *pichelingue* o *cartapacio,* como veremos más adelante—, pero lo que sí importa, o debe importar, es que el insulto tenga alguna originalidad. Y hay algo más para lo que este libro pretende ser útil, la réplica, el recibir el insulto con ánimo sereno y mente despierta para ejercitarse en esos civilizados juegos que se conocen vulgarmente, como *devolver la pelota, dar en la cresta, sacudir el polvo, triturar, dejar pegado* o *sentar de culo* a alguien.

Como muestra de insultos especializados, con la réplica correspondiente, sigue una relación cuyo objeto está lejos de ofrecer soluciones ni, mucho menos, las mejores soluciones. Sólo se pretende que ayude a entender el método por medio de sencillos ejemplos. En ningún caso se pretende que tengan gracia; no se trata de hacer chistes, sino de rebotar un insulto. El corte.

Baile

Chico.—Vamos, chica, pórtate como un ser humano y no como una muñeca de hielo.

Chica.—Pórtate como un ser humano tú: no me pises como una mula.

Banco

Cliente.—Estos billetes son una guarrada; ¿no le da vergüenza?

Cajero.—¿Usted se ha visto el cuello de la camisa?

Bar

Cliente.—¡Hay una mosca ahogándose en la leche!

Camarero.—Llame al 091, yo no trabajo aquí de socorrista.

Barco

Pasajero.—Este camarote está hecho una pocilga.

Camarero.—Y eso que sólo lleva usted aquí media hora; habrá que verlo mañana.

Bus

Pasajera.—¡Quíteme las manos de encima y tóquese las narices!

Pasajero.—Qué más quisiera yo que poder tapármelas; le canta a usted el sobaquillo cosa mala.

Carnicería

Cliente.—Usted dirá lo que quiera, pero esa pierna parece de burro, no de ternera.

Carnicero.—¿Ha visto usted piernas parecidas en su familia?

Fútbol

Entrenador Visitante.—¿Cuánto le habéis pagado al árbitro?

Entrenador Local.—La mitad de lo que le ofrecisteis vosotros. Dijo que prefería menos dinero y ayudar a unos caballeros a correr por los rastrojos a una panda de bandoleros culones.

Garaje

Gangoso.—Y no se le ocurra robarme gasolina del depósito porque la tengo medida.

Vigilante.—Usted habla por la nariz por no gastar saliva.

Hotel

Cliente.—¿Está seguro de que los últimos huéspedes salieron de la habitación? Aquí huele a cliente muerto.

Camarera.—Debería estar acostumbrado, si es usted capaz de soportar el aliento de su señora.

Lavabos

Señor.—Ahí dentro he leído escrito en la pared: «Eres un marrano»; ¿es por usted?

Encargado.—También hay otro de alguien que pone su trasero en venta; ¿lo escribió usted?

Lavandería

Cliente.—¿Quién me garantiza que mi ropa no la van a usar ustedes?

Encargado.—Vaya tranquilo; su nombre figura en nuestra lista de sospechosos de SIDA.

Librería

Cliente.—¿Hay en esta librería alguien que pueda aconsejarme un libro?

Librero.—Yo mismo. Llévese éste: «Método de introducción a la lectura para analfabetos».

Mantequería

Señora.—El jamón que me vendió ayer era comida para perros.

Dependiente.—Exactamente; me dijo que lo quería para usted.

Oficina

Director.—A la oficina no se viene a dormir.

Empleado.—En mi categoría no podemos entretenernos robando a la empresa como los directores.

Peluquería

Cliente.—¿Cuántas orejas ha cortado hoy con esas manazas?

Barbero.—Todavía ninguna, pero voy a intentar hacerle una buena faena y espero cortarle las dos.

Pescadería

Señora.—Esta merluza está bien muerta, deberían enterrarla.

Pescadero.—Prefiero enviarla a su salón de belleza y que la dejen como a usted.

Piscina

—¿Es verdad que si orinas en el agua se pone azul?

—No seas idiota, lo dicen para asustar a la gente.

—¿Y tú cómo sabes que es mentira, cerdo?

Playa

Nadador.—Me han dicho que las gordas no os hundís en el agua.

Gorda.—En cambio, tú debes andar con cuidado, dos o tres tontos se ahogan ahí todos los años.

Restorán

Cliente.—¿Hay algún loco que vuelva a este restorán después de su primera experiencia?

Camarero.—Locos no recuerdo, pero tontos vuelven a montones; espero su visita muy pronto.

Sastre

Cliente.—Mis dos piernas tienen la misma medida, ¡cretino!

Sastre.—Nadie tiene dos miembros exactamente iguales; mírese los cuernos y verá la diferencia.

Taxi

Pasajero.—Tenga, una peseta de propina y es demasiado para lo que merece.

Taxista.—Gracias; por transporte de animales no se admiten propinas.

Zapatería

Cliente.—Es usted un verdugo de los pies. Sus zapatos me han dejado cojeando tres días.

Zapatero.—No se puede herrar a la mula sin hacerle daño.

CAPITULO 13

Un extenso
y variado
repertorio

> Juez.—*Diga los insultos.*
> Querellante.—*Me llamó de todo.*
> Juez.—*¿Por ejemplo?*
> Querellante.—*Pichelingue.*
> Juez.—*¿Y eso qué significa?*
> Querellante.—*No lo sé, pero insultar,*
> *insulta cantidad.*

Aún se emplea, al dar noticia de la actuación de un conjunto musical, la conocida frase: *interpretó obras de su extenso y variado repertorio.*

Sigo creyendo —y aconsejando— que con una sola palabra, como *merluzo,* basta para insultar en cualquier situación, a cualquier hora, a quienquiera que nos caiga gordo.

Esto no ha de ser, sin embargo, limitación obligada; la repetición mella el filo de las palabras y fatiga al usuario. Por si alguien lo necesita, incluyo un extenso y variado repertorio.

No acompaña a cada palabra su definición y significado *académico* PORQUE NO ES NECESARIO. Cualquiera de ellas —como decía el querellante a quien habían llamado *pichelingue*— es válida y eficaz, *insulta cantidad,* insulta a modo, no por su significado sino por sí misma, por su sonido, por lo que puede sugerir, menospreciar o irritar. Si alguien siente esta necesidad de renovar su repertorio, en la selección que sigue tiene donde escoger. Si, además, desea conocer el significado de cada insulto, que consulte el diccionario. En algún caso no encontrará la palabra porque la palabra no existe, es un insulto químicamente puro, es un sonido insultante, creado solamente para insultar: para usar cuando lo pida el cuerpo.

A

Agarrado
Alicuécalo
Asqueroso
Avefría

B

Babieca
Bambuco
Beduino
Beocio
Besugo
Bigardo
Bizcocho
Bizcuerno
Bobalicón
Bocazas
Borrego
Botarate
Brújula
Buitre

C

Cabestro
Cabezabuque
Cabroncete
Caganidos
Calzonazos
Carasucia
Cara vinagre
Cateto
Cazurro
Cebollino
Cenizo
Cenutrio
Cernícalo
Cococha
Costrollo

CH

Chismela
Chocarra

D

Decumbente
Desmamonado
Desperdicio
Destripaterrones
Don nadie

E

Escuerzo
Espantajo
Espelucao

F

Fea
Feto
Forrapelotas
Fullero

G

Garrulo
Gorrilla
Gorrón
Grosomodo
Guarrucio

H

Hedipondo
Heterodino
Horrascoso
Huevón

I

Imbóbilis
Indemente
Inflasogas

J

Jamelga
Jenízaro
Jeringuilla
Judastre
Jumentículo

L

Ladrillo
Lagamenón
Lagartucio
Languedocio
Lengüeta
Lenocinio
Litrón
Locarra

M

Maestrillo
Malgüele
Mamacallos

Mamelón

Manazas

Manta

Margarina

Maripopin

Mariconchi

Marimoño

Marmotón

Mastuerzo

Meapilas

Mecedora

Melonardo

Memogarca

Mendrugo

Menopausio

Menteca

Micondria

Microfálico

Modorro

Morreras

Muermo

Murciélago

N

Náufrago

Nebulosa

Nefrolito

Niñato

Nominilla

Ñ

Ñiquiñaque

Ñoño

O

Obseso

Opérculo

Orangután (Anga-
rután)

Otorrea

P

Paletoste
Paliza
Papagüevos
Papateste
Paqueterre
Patosoca
Pavana
Pazguápiro
Pazguato
Pegote
Pelícano
Pelota
Pellejo
Pendejo
Pendón
Pentadecágono
Percalina
Perdigón
Petardo

Pichelingue
Pinchapeces
Pipiolo
Piromaníaco
Plasta
Plebestia
Porro
Pusilantre

Q

Quimera
Quisquilla
Quitapelillos

R

Retrasado
Robaperas
Roñeras

S

Saltacercas
Sarasacárido
Seboso
Simploncio

T

Tacamaca
Tarugo
Tipéjulo
Tonel
Tontocloco
Tontucio
Trapisondo
Trompeta
Tuercebotas
Tuturuto

U

Ubicornio

Uliginoso
Ultratumba

V

Vampiro
Viborezno
Villano

Y

Yacija
Yerbajo

Z

Zambombo
Zoqueteca
Zurriago
Zurriagoiti

CAPITULO 14

La importancia del sonido

S e habla en el capítulo VI, *La inevitable contundencia,* de la necesidad terapéutica del denuesto resonante y de la conveniencia de un vocabulario compuesto por palabras que golpeen, que irriten más que por su significado, por su fonética.

Con el propósito de facilitar el uso de este tipo de insultos y de proporcionar al usuario una ampliación de su extenso repertorio, incluyo un regular catálogo de palabras clasificadas alfabéticamente por el sonido de sus sílabas finales.

ABA

Aldaba
Haba (Tonto del)
Tontolaba

ABIO

Astrolabio
Resabio

ABLE

Indisputable
Irrefragable
Miserable
Palpable

ABLO

Retablo

ABO-AVO

Gallipavo
Nabo (Tonto del)

ABRAS

Chotocabras

ACA

Bellaca
Carraca
Petaca
Resaca
Urraca

ACIA

Desgracia
Falacia
Verbigracia

ACEO

Cetáceo
Herbáceo

ACIO

Cartapacio
Prefacio

ACO

Arrumaco
Bellaco
Currutaco
Macaco
Monicaco
Morlaco
Pajarraco
Retaco
Sobaco
Verraco

ACRA

Polacra

ACRO

Simulacro

ACTO

Artefacto
Putrefacto
Refracto

ACHA

Covacha
Estacha
Garnacha
Remacha

ACHE

Cachivache
Patache

ACHO

Capacho
Cornigacho
Gazpacho
Mamarracho

AD

Callosidad
Fatalidad
Hilaridad
Imputabilidad
Poquedad

ADA

Almohada
Arcada
Cornada
Rebanada
Tajada

ADO

Arado
Atestado

Candado
Concuñado
Desbragado
Diputado
Helado
Lenguado
Mantecado
Predestinado
Quebrado
Venado

ADRO

Taladro
Macadro

AFE

Alifafe
Rifirrafe

AGA

Rezaga
Zurriaga

AGIA

Contagia
Cancagia

AGO

Estrago
Jaramago
Monago
Zurriago

AGUA

Piragua

AINA

Chanfaina
Polaina
Vaina

AJA

Borraja
Cerraja
Miaja

Rodaja
Tinaja

AJE

Cortinaje
Embalaje
Follaje
Forraje
Matalotaje
Personaje
Potaje

AJO

Cascajo
Cintajo
Sombrajo

AL

Berenjenal
Bozal
Carrascal
Garbanzal

Mazorral
Pedernal

ALA

Alcabala
Martingala

ALCO

Catafalco
Recalco

ALLA

Faramalla
Quincalla
Vitualla

AMA

Camama
Monograma
Sobrecama

AN

Balandrán
Madapolán
Zaguán

ANA

Badana
Galbana
Membrana

ANGA

Bocamanga
Zanguanga

ANO

Calomelano
Comarcano
Gordiano
Zutano

ANTE

Ambulante

Cabrestante
Circunstante
Fumigante
Poderdante
Viandante

APA

Gualdrapa
Jalapa
Zurrapa

ARIO

Arancelario
Hebdomadario
Protocolario
Suplementario

ATO

Carromato
Fosfato
Zocato

ELA

Cazuela
Choquezuela
Erisipela
Habichuela
Tachuela

ENTE

Astringente
Coeficiente
Insurgente
Pestilente

ENTO

Rudimento
Tegumento
Ungüento
Virulento

ERA

Filoxera
Flojera
Hortera

Lumbrera
Pejiguera

ERIO

Mesenterio
Puerperio

ERO

Abrevadero
Batanero
Cocotero
Pistero
Retortero
Zizañero

ETA

Chaqueta
Jareta
Papeleta
Retreta
Voltereta

ETE

Casquete
Jarrete
Remoquete
Trinquete

ICIO

Desperdicio
Frontispicio
Maleficio
Vitalicio

IL

Mandil
Pernil
Tamboril

ILLA

Abubilla
Albondiguilla
Barandilla
Guindilla

Plumilla
Tirilla
Zarzaparrilla

ILLO

Cabestrillo
Garrotillo
Membrillo
Pestillo

ITO

Garlito
Gorgorito
Infrascrito
Monolito

ON

Aldabón
Apretujón
Calzón
Capuchón

Cencerrón
Comezón
Cucharón
Faetón
Florón
Morrión
Trabazón
Zurrón

UJO

Escaramujo
Rebujo
Tapujo

UTO

Bismuto
Escorbuto
Tributo

OTA

Bergamota
Compota
Chacota

UZA

Alcuza
Gazuza
Lechuza

CAPITULO 15

Insultos esdrújulos

L as palabras incluidas en este repertorio breve han sido escogidas por su sonoridad. Muy pocas tienen significado insultante; el gran atractivo de las esdrújulas está en su *forma sonora,* parecen construidas para la poesía y, también, para la profecía, el anatema y el dicterio. ¿Qué hubiese sido de Rubén Darío sin las esdrújulas, sin crisálidas, nenúfares, náyades y canéforas?

En cuanto a su uso como insulto, cualquiera de estas palabras es como una bofetada. Dura penitencia oírse llamar con gesto despectivo:

¡Califórnico!, por ejemplo.

Como quiera que el significado no tiene relación alguna con el propósito de insultar que nos anime a escoger alguna de estas palabras, en la relación no he seguido el orden alfabético de sus iniciales sino el de su música, su sonido compuesto por las vocales de las tres últimas sílabas. Así, la primera, *Archipámpano,* está compuesta por sonidos en A, A, O, y la última, *Túmulo,* en U, U, O, a fin de que la elección se pueda hacer buscando el efecto acústico que al insultante le pida el cuerpo.

Archipámpano	Cíngulo
Cárabo	Ventrículo
Almácigo	Lotófago
Cismático	Sarcófago
Morganático	Carótida
Pirático	Califórnico
Acutángulo	Etiópico
Sustentáculo	Gótico
Tentáculo	Pirrónico
Retruécano	Prójimo
Asafétida	Tórrido
Endémico	Apóstrofo
Integérrimo	Isógono
Peripatético	Piróforo
Bisílabo	Catecúmeno
Pelícano	Decúbito
Palmífero	Palúdico
Velocípedo	Túrbido
Panegírico	Corpúsculo
Pírrico	Opúsculo
Sofístico	Túmulo

CAPITULO 16

Los nuevos insultos

H ay un nuevo lenguaje, una jerigonza nueva
—vieja ya en parte y renovada a diario
por el ingenio casi automático de los des-
tructores-creadores de la comunicación desbaratada—
que fluye de la juventud a la calle y de la calle al
habla y hasta a la literatura. Hoy todo español conoce
el significado del adjetivo *carroza* y el sentido de
camaradería y estimación que hay en el uso del ape-
lativo *tío* entre gente joven.

Son muchas las palabras que han pasado al lenguaje popular procedentes de diferentes argots o jer-
gas a través del limitado, esquemático, pero vivo, dia-
lecto de la juventud; más que un lenguaje es una
forma de ser o, mejor, de no ser esto o lo otro; por
lo menos, de no serlo con demasiado entusiasmo.

Sus orígenes se localizan fácilmente en el caló,
el cheli, las germanías y el desgaire pasota. Sus grandes impulsores: el sexo, la droga y la vida en comu-
nidad informal, tirando a promiscua, espesa y des-
cosida.

La prensa, la radio, la novela y un neoarnichismo cinematográfico y teatral han contribuido a la difusión de la jerga sacándola de sus originarios grupos marginales —pasotas, quinquis, delincuentes, drogadictos, grupos étnicos— de sus *ghettos* lingüísticos o sociales, y ya son de todos.

Incluyo una breve relación de palabras pertenecientes a este lenguaje, porque conviene saber si lo que se oye es un insulto, y hay que enfadarse, o una lisonja y hay que dar las gracias.

El vocabulario podría ser más extenso, pero esto no es un diccionario, sino un manual sencillo para personas prudentes. Que no siempre las palabras significan lo que a primera vista parece: *dante* no es poeta o genio, sino *homosexual; filili* no es tonto o mequetrefe; quien te dice *filili* te está llamando *amigo*.

No hay, en esta parte del libro, intención de enseñar a insultar. Sólo es una ayuda para saber si se es insultado. Y cómo, hasta qué punto.

Todas las palabras contenidas en el primer apartado son, o pueden ser, insultos. Los del apartado final son como un regalo amistoso, una prueba de solidaridad, admiración o reconocimiento.

A

Alobao: Atontado.

Amapolas: Izquierdistas *(rojos)*.

Amordagao: Borracho.

Analfa: Analfabeto.

Angelito: Individuo de cuidado.

B

— *Badanas*: Inútil.

Barba: Caradura.

Barrena: Loco.

Barrilero: Protestón.

Beto: Tonto.

Betoven: Anticuado.

Blanco: Cobarde, apocado.

Bollaca: Lesbiana.

Bollera: Lesbiana.

Boniato: Torpe.

Boquerón: Arruinado. Donnadie.

Boquilla: Jactancioso.

— *Borde*: Antipático. Mala persona.

Bujarra-bujarro: Homosexual.

C

Cadenas: Presumido.

Campuzo: Paleto.

Capicúa: Feo; cara de culo.

— *Cara*: Caradura.

Caracol: Cornudo.

Carcoso: Derechista, anticuado.

— *Carroza*: Antiguo, anciano, viejo.

Cenutrio: Torpe.

Culero-a: Que trafica en drogas y las pasa por la aduana introducidas en el recto.

CH

Chachipén: Muy bueno.

Chalequero: Que frecuenta el trato de las prostitutas.

Chalupa: Loco.

Chocolatero: Drogadicto.

— *Choro*: Ladrón.

Chuquel: Perro.

Chuti: Tacaño. Gorrón.

Chutón: Egoísta.

D

Dante: Marica, bujarrón.

Datilero: Carterista.

E

— *Elemento-a*: Malo, dañino.
— *Enterao*: Pedante.

F

— *Facha*: Derechista, fascista, nazi, católico.
  Falseras: Hipócrita.
  Fardado: Bien vestido.
— *Flipado*: Drogado.
  Floristero: Traficante de droga.
  Fumata: Drogadicto.

G

  Gagá: Caduco.
  Gamboso: Patoso.
— *Gil, Gilorio*: Memo.
  Guindón: Ladrón.

I

  Ingeniero: Pedante.

J

Julandrón: Homosexual.

L

Largón: Chismoso.
Leño: Paleto.
Lirio: Cándido.
Luceras: Paleto.
Lumi: Ramera.

M

Manguta: Ladrón.
Marchiri: Masoquista.
Mascachapas: Ignorante.
Matusa: Anciano.
Medio polvo: Enano.
Membrillo: Paleto, ingenuo.
Mindundi: Tipejo.
— *Morro*: Caradura.
— *Muermo*: Pesado.

N

Novicia: Homosexual muy joven.
Numerero: Que hace o monta números. Fantasioso, camorrista.

Ñ

Ñarra: Pequeño.

P

Palanganero: Empleado de prostíbulo.
— *Paliza*: Pesado.
— *Petardo*: De mala calidad. Aburrido.
— *Pijo-a*: Engreído.
Pitongo: Joven remilgado.
— *Pitopáusico*: Impotente.
— *Plasta*: Inaguantable.
Porrata: Fumador de marihuana.
Pulpo: Sobón, que toca excesivamente con intenciones eróticas.

Q

Quedón: Burlón, bromista, guasón.

R

— *Regadera*: Loco.
Rizos: Calvo.
— *Rojeras*: Izquierdista.
— *Rostro*: Caradura.

S

Sietemachos: Bajito, débil, pero agresivo.

Sirlero: Atracador, ladrón.

Sobrero: Cornudo.

— *Sociata*: Militante o simpatizante del Partido Socialista.

Soleche: Estúpido o engreído.

— *Sonao*: Loco.

T

Teniente: Sordo.

Tongueras: Tramposo.

— *Torti*: Lesbiana. Tortillera

Trepa: Arribista.

Trincón: Corrupto.

Tripero: Codicioso, inmoral, ruin.

Trosco-a: Trotskista.

V

Vizconde-sa: Bizco.

Y

Yeti: Feo.

Yonqui: Drogadicto.

Z

Zorrocotronco: Cateto, tosco.

CAPITULO 17

No te enfades si te llaman...

Arajai: Cura, sacerdote.

Bandera: Muy bueno.
Baranda: Jefe.
Beibi: Chica joven a la que se aprecia.

Cachas: Fuertote, guapo, musculoso.

Chachipén: Muy bueno.

Diez: Chica muy hermosa (diez puntos).

Estrecho: Serio, severo, especialmente la mujer sexualmente poco fácil.

o calientapollas

Filili: Amigo querido.

Jaba: Bravo, jabato.

Legal: Bueno, honesto, sincero, sano.

Macandona: Guapetona, buenota.

Máclinton: Bueno, tipo noble y bravo como un héroe del *western*.

Maqueao: Bien vestido.

Molón: Bueno, elegante, agradable.

Paraca: Paracaidista.

Plumilla: Periodista, escritor.

Popelín: Muy bueno.

Pucherón: Locutor.

Tronco: Amigo, compañero.

Virguero: Muy bueno, bien hecho.

CAPITULO 18

Con vocación de monumento

PAQUITO ES TONTO

(La primera pintada)

L a pintada es tan antigua como el hombre, o poco menos. En la Biblia se habla de pintadas, y la Prehistoria va cediendo paso a la Historia merced a las pintadas que los paleógrafos descubren investigando vestigios de las civilizaciones egipcia, azteca, caldea, yucateca, hindú..., así como de otras menos cultas y desarrolladas. Altamira es pintura, una Capilla Sixtina, pero está llena de mensajes, de información, de pintadas. Muchas de sus figuras tienen algo de imprecación, alabanza, denuncia o desahogo. Una divina pintada *(Mane, Tecel, Pares,* o *Mené, Tekel, Perés)* subversiva, insultante y amenazadora, precedió en horas a la caída del reino babilonio. Dios mismo trazó otra pintada en el cielo *(Con este signo vencerás)* que tuvo también importantes consecuencias históricas.

La pintada política es la más escandalosa, molesta e inurbana. Se extiende como una epidemia que tizna la arquitectura, daña a la vista y ahoga a la cultura. Su morbilidad es superior a la de todas las demás pintadas juntas porque no es mensaje personal, no nace del sentimiento de un enamorado, no actúa como aliviadero de un cabreo individual ni como estallido gráfico de un resentimiento privado. Es consigna de partido, clamor *a la brocha* de un montón de gente, alboroto chafarrinoso de una facción, de muchos forofos, más o menos fanáticos; esta condición de clamor multitudinario —cierto o simulado— multiplica el mensaje haciendo que una ciudad, o toda la nación, aparezca de la noche a la mañana inundada con los toscos palotes de la pintada.

Las otras pintadas, la infantil, la del enamorado, la del filósofo urbano —*La Imaginación al Poder, Haz el Amor, no la Guerra*— son las buenas, son las mejores, son las que merecen ser citadas en las antologías. Pero este libro no es una antología sino algo menos que un manual de ayuda para insultar bien, es decir para el mejor uso de la pintada generada por el cabreo personal, que no es la más divertida. Tampoco suele ser divertida la pintada que más abunda en el gran libro de la fachada urbana: la pintada política.

La pintada que encabeza este capítulo suele ser la primera que, muy niño, realiza el individuo con vocación de escritor de brocha gorda. Generalmente es sólo un nombre; el niño pinta con tiza

MARIJOSE

y basta: está inclinado al afecto —decir amor parecería una exageración, aunque amor es, precioso amor— hacia una niña llamada María José.

Pero si el niño se enfada con María José, escribe algo más que el nombre:

MARIJOSE ES TONTA

y si María José le da achares, la amplía:

MARIJOSE Y PERICO SON UNOS GUARROS

Las pintadas de adultos contienen mensajes menos inocentes y reflejan —cuando son personales, privadas— estados de ánimo que van desde la satisfacción al desespero, desde el amor al odio, desde la afabilidad a la ira.

Aunque el propósito de este libro es enseñar a insultar correctamente, inicio una breve relación de ejemplos con éste que me entusiasmó; no estaba escrito con mayúsculas ni espray: tiza y buena letra, entre inglesa y redondilla. Era una pintada risueña y afable, un estallido de gratitud y afecto. Decía:

Viva Carmela que me ha pagao el desayuno

Seguro que era fruto de una buena amistad quizá recién nacida, de solidaridad sin trampa. Y que Carmela, si tuvo la suerte de leerla, sólo le dedicó un brevísimo comentario:

—¡Genial!

Lamento que los ejemplos más abundantes que puedo recordar correspondan a la activa labor de los pintadistas políticos. El lector puede utilizar cualquier insulto elaborado de acuerdo con la técnica aconsejada para el insulto verbal. Lo piensa, y, en lugar de gritarlo, se arma de espray o de pintura y brocha, elige fachada y lo escribe.

La fachada elegida debe ser la del insultado, para que sufra la agresión cada vez que entra en su casa, o la fachada de la casa de enfrente para que el pelotazo en el ojo le aflija siempre que se asome al exterior.

Sin embargo, debo decir —y lo digo de todo corazón— que la pintada es un insulto a toda la población, una marranada, un acto patoso, un exceso y, además, tan cobarde como el escrito anónimo o la anónima llamada telefónica.

Pero, claro, si a uno se lo pide el cuerpo, yo no puedo impedírselo y me limito a sugerirle que las haga lo mejor posible, que las escriba con tiza o, como mucho, con carboncillo, para que se puedan limpiar una vez satisfecho el desahogo.

Reproduzco a continuación algunas de las pintadas que he coleccionado en los últimos años. No son las mejores; esto es, una floresta varia para ilustración, más que para recreo, del lector.

TEMPRANA VOCACIÓN

CELOS

Juanita es TONTA

1

Marijose

1

Pepito es Idiota

2

Marijose es tonta

2

Pepito ♥ → Juanita ♥ →

3

Marijose y Perico son unos guarros

3

NO ES COSA DEL SUBDESARROLLO

EVOLUCIÓN DE UN HOMBRE

PINTADA USA 1965

WE LOVE
NEGROES

1

DE UN VETERANO POLITICO
AÑO 1968

FUERA VIEJOS
EN EL PODER
PASO A LA JUVENTUD

1

WE LIKE
NEGROES

2

1976

EL MUNDO ES
NUESTRO
VIVA LA LIBERTAD

2

WE LIKE
NEGROES FOR
VIETNAM

3

1980

BASTA DE
GAMBERRISMO

3

EVOLUCIÓN DE UN PROBLEMA

TRES GRITOS DE AMOR

EN LA FACHADA DE UN
INSTITUTO
Año 1960

ESTE PLAN DE
ESTUDIOS
ES DE TONTOS
¡REFORMA!

1

Quico, vuelve,
estoy tomando
la píldora, te lo
juro. Meli

Año 1965

PEDIMOS LA
REFORMA DEL
PLAN DE 1961

2

Viva Carmela
que me ha pagao
el desayuno

Año 1968

A VER CUANDO
SE ACABAN LAS
REFORMAS DEL
PLAN DE ESTUDIOS

3

Maruja, te quiero
pero no olvides ma-
ñana el desodorante

CUATRO GRITOS ÁCRATAS

SE PROHIBE PROHIBIR

FACHAS POLIS ROJOS Y PAJARITOS, FRITOS

CAGANDO Y VOTANDO LA REVOLUCION SE VA OLVIDANDO

UNIVERSIDAD 1968

PEDIMOS REPPRESION PARA LOS QUE ALTERAN EL DESORDEN

LA GUERRA DE LOS SEXOS

FEMINISTAS
FACHOSAS
TODAS
HORROROSAS

FEMINISTA TE
CABREAS
PORQUE ERES
MACHOTA Y FEA

NOSOTRAS
PARIMOS
NOSOTRAS
DECIDIMOS

EL HOMBRE
A LA COCINA
DESPUES DE
LA OFICINA

JUEGO DE SIGLAS

EL PSOE
ME LA
PSU DA

TÚ LE VOTAS,
ÉL TE PSODE

PS E

LA TELEVISIÓN COMO TEMA

CORRU**PSOE** EN
MIAMI

HISTÓRICAS

AYO EN CALIFORNIA   MAYO EN PARÍS

HAZ EL AMOR
Y NO LA GUERRA

SEAMOS
REALISTAS
PIDAMOS LO
IMPOSIBE

LOS PARIAS DE LA TIERRA

ERES MAS TONTO
QUE UN OBRERO
DE DERECHAS

UN SALUDO CORDIAL

RODRIGUEZ ASOMATE
AL BALCON
Y TE VERAS

CACHO DE

LA LEAL OPOSICIÓN

FRAGA Y FELIPE
SE BESAN Y EN
PELOTA NOS DEJAN

BIBLIOGRAFIA
Y AUDIOGRAFIA

Gran parte de las réplicas, frases insultantes, cortes y anécdotas contenidas en este libro pertenecen —como los chistes que se cuentan por ahí— al filón inagotable del ingenio anónimo: las oímos en las tertulias, en la radio, en televisión, o las leemos en prensa y en pequeños libros de chascarrillos. Yo me declaro incapaz de inventar tanto dicho, retruécano, epigrama, ocurrencia, chufla y chorrada; por fortuna, estas chispas se inventan solas.

Algunas de las anécdotas, frases y peloteras verbales las he recogido personalmente, estaban en mi memoria —yo no apunto esas cosas— y las cito sin documentación; otras me las han facilitado familiares y amigos, muchas las he cosechado a lo largo de años en la prensa extranjera, y me ha sido muy útil la lectura de libros y la consulta de diccionarios especializados. Mi gratitud a todos, lingüistas, filólogos, xistas, periodistas, políticos, amigos y medios de

comunicación. Y a los autores de los libros consu
tados: *Diccionario Secreto II,* de Camilo José Cel;
Diccionario de Germanías del *Diccionario Hispánic*
Universal; Diccionario de Argot, de Juan Manu
Oliver; *Diccionario Ideológico,* de Julio Casare;
Vest Pocket Book of Jokes, de B. Carf; *The Insu*
Dictionary; Comic Speeches; Diccionario Cheli, c
Francisco Umbral; *Political Insults,* de Graham J
nes; *Best Excuse,* de Donald Carroll; *Tesoro de*
Lengua Castellana o Española, de Sebastián de C
varrubias; *Dos mil Insultos,* de Louis A. Safian; *Di*
cionario de Argot, de Francisco Villarín; *Lengua*
caló-gitano, de S. Pardal. Y las paredes de algun;
ciudades españolas y extranjeras.

Algunos proceden de espectáculos: en el *Quarti*
Latin, de Times Square, New York, oí contar lo d
patoso cuya broma favorita era echar mierda en l
aspas del ventilador, y en un diario británico le
algo que en este libro se atribuye al ministro F. Ord
ñez: «Si lo ves andar sobre las aguas, significa q
no sabe nadar.» Los de automovilistas casi todos s
de mi propia cosecha; es decir, alguien me los l
gritado.

EL AUTOR